Fernando Vita

República dos Mentecaptos

UMA HILARIANTE HISTÓRIA DE
MANDRIÕES, CORTESÃS, ESPERTALHÕES E
CERTOS VALDEVINOS DE MODO GERAL

GERAÇÃO

Copyright © by Fernando Vita
1ª edição – Julho de 2019

Grafia atualizada segundo o Acordo Ortográfico da Língua Portuguesa de 1990, que entrou em vigor no Brasil em 2009.

Editor e Publisher
Luiz Fernando Emediato

Diretora Editorial
Fernanda Emediato

Capa, Projeto Gráfico e Diagramação
Alan Maia

Preparação
Josias de Andrade

Revisão
Marcia Benjamim de Oliveira

Dados Internacionais de Catalogação na Publicação (CIP)
de acordo com ISBD

V835r   Vita, Fernando
República dos mentecaptos / Fernando Vita. - São Paulo : Jardim dos Livros, 2019.
320 p. ;15,5cm x 23cm.

ISBN: 978-85-8130-416-8

1. Literatura brasileira. 2. Romance. I. Título.

CDD 869.89923
2019-790   CDU 821.134.3(81)-31

Elaborado por Vagner Rodolfo da Silva - CRB-8/9410

Índices para catálogo sistemático
1. Literatura brasileira : Romance 869.89923
2. Literatura brasileira : Romance 821.134.3(81)-31

GERAÇÃO EDITORIAL
Rua João Pereira, 81 – Lapa
CEP: 05074-070 – São Paulo – SP
Telefone: +55 11 3256-4444
E-mail: geracaoeditorial@geracaoeditorial.com.br
www.geracaoeditorial.com.br

Impresso no Brasil
Printed in Brazil

Para mestre João Ubaldo Ribeiro, *quente, galante, feio e irresistível*, no dizer de Fernandinha Torres.

Para Fernando Sabino, a quem tributo o pouco que sei dos mentecaptos, grandes ou não.

Para Marcos Vita, outras histórias que não lhe contei.

Para Taís, Nanda e Gal, as minhas mulheres.

Para dona Zita, minha mãe, que delas não ciúma.
E vice-versa.

À memória do meu pai.

"… sempre há um lapso entre a literatura e a vida e, por mais que a gente queira fechá-lo, a vida acaba ganhando, já que ela é a melhor depositária das histórias."

Guillermo Cabrera Infante, em *Corpos Divinos*

Passamos a vida ouvindo mal, vendo mal e entendendo mal para que as histórias que contamos a nós mesmos façam sentido.

Janet Malcolm, em *Anatomia de um Julgamento: Ifigênia em Forest Hills*

ÍNDICE

FADO I 11
    Hospício,
    antessala

FADO II 111
    Hospício,
    ele mesmo

FADO III 255
    Hospício,
    camisa de força

FADO IV 301
    Hospício,
    epílogo

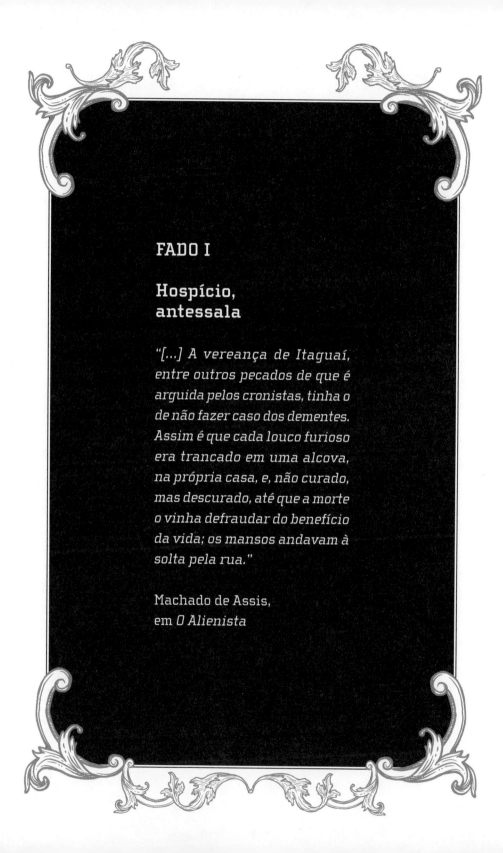

FADO I

Hospício, antessala

"[...] A vereança de Itaguaí, entre outros pecados de que é arguida pelos cronistas, tinha o de não fazer caso dos dementes. Assim é que cada louco furioso era trancado em uma alcova, na própria casa, e, não curado, mas descurado, até que a morte o vinha defraudar do benefício da vida; os mansos andavam à solta pela rua."

Machado de Assis,
em *O Alienista*

... entretanto, em Todavia nada parecia mudar a paisagem, os homens, as coisas. Sabe uma fotografia presa em uma moldura na parede, antiga, estática, amarelada, empalidecida pelo passar inexorável do tempo, ainda assim tão nítida em todos os seus contornos? É como sempre me chega às retinas aquele jeitão de canto esconso do mundo, onde eu, por uma dessas conjurações malditas dos fados, dei por bem — ou pior, por mal — de ser parido. Tão dessemelhante, a fotografia da minha terra na parede da memória, daquela outra do poema confessional de Drummond de Andrade, ai de ti, Todavia, se tivesses um tiquinho de nada que fosse do bucólico encanto da Itabira das Gerais do Carlos, não, não tens, mas como dói! Lá, na minha aldeia — eu ainda vejo no retrato desbotado que as poucas lembranças teimam em me trazer à alma — a mesma pasmaceira de sempre a embalar a existência dos seus moradores, de sorte que os dias e as noites parecem ser mais longos que as vinte e quatro horas que cabem nos dias e noites dos normais, só raramente esse vagar obtuso do tempo é quebrado por alguma novidade, algum sucesso, seja um que morre, outra que pare,

Fernando Vîta

aquele que chega, aquela que vai, uma carta anônima posta sobre o breu das portas de um formidável qualquer a escrachar a sua reputação, a puta nova que chegou ao puteiro da Rua do Mija Gás ainda ontem à tardinha, uma intriga de comadres, um disse me disse de vizinhos, um bate-boca de políticos de ponta de rua, um padre a foder beatas, meninos a pedalar bicicletas, jegues a zurrar, porcos a chafurdar nos chiqueiros, velhos peidorreiros a cochilar em espreguiçadeiras nas calçadas, bêbados a se embebedar, senis de variadas cores e idades a falar sozinhos, poetas sem rimas a versejar sonetos, esses tipos de acontecimentos comuns a qualquer cidade pequena, mais comuns e singulares, contudo, em Todavia, parece que Deus ou o Diabo, talvez os dois juntos em sinistro e raro conluio, em hora lá qualquer do marco zero da criação do mundo, decidiram pôr naquele pedaço da terra uma gente obtusa, dedicadamente dada às artes do leva e traz, da intriga e da futrica, da boataria bem urdida e da sordidez sem pecado e, como se pouca desgraça isso ainda fosse, deu-lhes pendores e afinidades ímpares para rezar em missas, chorar em velórios, cantar em procissões e acompanhar enterros, não necessariamente nessa ordem, de quebra, ainda, a dupla Diabo e Deus determinou, com a força de mil pragas de mãe: vai, rebanho de pigmeus, corja de fariseus, entulho do entulho da humanidade, estrume do estrume do cagar de todos os povos e nações, habitar Todavia, até que o fim dos seus dias favoreça aos que aqui ficam com as suas olvidáveis ausências.

Dito o que, não preciso desperdiçar muito verbo para explicar-lhe porque, mal saído dos cueiros, primeiros pentelhos a despontar nos baixios do ventre, gala de menino ainda rala e inútil à multiplicação da espécie a lambuzar o cabeçote cor púrpura escarlate do pau, juntei o pouco que tinha ao muito

Mentecaptos

de vontade de sair daquele cu de mundo e me fui, me piquei, peguei o trem do horário na velha estação, passei por Nazaré das Farinhas, entornei um copo de mingau de puba na breve parada do comboio no Caboto — a claudicante locomotiva inglesa também carecia da sustança de mais lenha e água nas entranhas para seguir viagem —, fiz baldeação para o vapor em São Roque do Paraguaçu, cruzei o mar bravio da Meia--Travessa e, quando dei por mim, Baía de Todos-os-Santos devidamente esquadrinhada à noitinha, eis-me em Salvador da Bahia, reclames iluminados a gás neon da *Bayer*, da *Coca-Cola* e da *Suerdieck* na Cidade Alta a refletir as suas luzes coloridas, tremeluzentes, nas águas da maré a dar-me as boas-vindas, não tenho do que me queixar, juro, fodam-se os que não me seguiram, coitados, condenados a viver sob aquele céu quase sempre furta-cor, aquele mormaço eternamente úmido como o da placenta da puta que os pariu, respirando aquele ar infestado de ignorância e falso saber e transpirando o suor catinguento dos que esperam, sentados, a morte.

Na ausência dos girassóis sobre os quais planavam seus voos, os urubus davam-se por felizes, pousados entre as palmas dos dendês centenários. Papa-capins contentavam-se em gorjear trololós sem graça. Uma freirinha com cara de santa puta de calendário, e hábito preto e branco, que a fazia semelhar a um pinguim, carrega com vagar a sua indolência, como num filme de Fellini, por uma rua sem nexo de Todavia.

E nunca mais voltei lá...

... e à Todavia jamais voltaria não fossem os fados que regem a vida de todo senhor qualquer, seja ele um califa ou um paxá, bonito a mais da conta ou feio de assustar, culto que só a porra ou burro de relinchar, rico, pobre ou remediado, mestre ou aprendiz, sacristão de igreja ou muezim de mesquita, nascido em berço de ouro ou em palhas de estrebaria, como o Menino Jesus, meirinho ou juiz, filho legítimo ou bastardo, patente ou paisano, tuaregue ou peregrino, os fados mandam e desmandam, vez que somos desde que nascemos por eles guiados, aboiados, seja na proa do caminho do bem, seja na popa da desgraceira da trilha do brejo, não somos a vaca da sentença que o povo deveras repete, mas assim sempre foi, é e será: mandam os fados, eles nos vaquejam, fodam-se os que não dessa forma creem.

Até que ia levando uma vida reta e direitinha na Cidade da Bahia, estudava de noite e trabalhava de dia, trabalhava de dia e estudava de noite, comia de graça no restaurante dos universitários, me virava em mil para pagar as repúblicas de estudantes onde vivia, de muitas delas dei no pé e até mais ver, quando, por ter ido muito às putas dos muitos puteiros

Fernando Vîta

ou aos copos dos vários botecos, foi-se, evaporou-se o capilé das mensalidades. Que fazer? Ia-se para outra pensão, outro endereço, outros colegas, novos amigos, novos calotes, novas bioscas, vez por outra passando a vergonha do cobrador tamborilando as falanges dobradas dos dedos na porta, a cidade, então, não era tão grande, a redação do jornal onde começara a escrever como repórter calça-curta ficava bem no centro antigo, não era tão fácil, como hoje, quem está a dever fugir de quem tem haver, imaginem que até ousei alugar um apartamento, um conjugado de quarto e sala, em área bonita de se espiar, fazia gosto, perto do Teatro Castro Alves e da estátua do Caboclo no Campo Grande, da janela se avistava uma nesguinha do mar, nesse eu me estabilizei, quer dizer, não dei o birro no proprietário, imagine se faria isso, o fiador tinha sido um poeta sarará de nome Edmilson de Jesus Pacheco, dado à luz em Maragogipe, que depois viria a compor sambas com o nome de Edil e a criar curiós, pintassilgos e sanhaços, ele próprio usuário eventual do dito imóvel para fins de comer gente, de sorte que uma mão lavava a outra e a água lavava as duas, a toalha da saudade que as enxugasse, assim diz o ditado, assim solfejava Batatinha, outro poeta que andava por lá a queimar charutos e a compor modinhas, não carecendo de necessidade eu levar adiante esse arrazoado inglório por desnecessário ser ao perfeito entendimento do porquê de eu ter voltado a Todavia, repito, a culpa é dos fados, não minha.

O que se deu, eu conto como se deu, sem tirar nem pôr. Ia tudo mais ou menos nos conformes para mim, na Cidade da Bahia, e nos conformes haveria de continuar indo, não tivesse eu — e aí não ponho a culpa nos fados, que eles não a têm, euzinho mesmo é que quis obrar assim de livre e espontânea vontade, tirar uma de comunista, de aprendiz de guerrilheiro, sei

Mentecaptos

lá — achado por bem passar a frequentar passeatas de passeantes que passeavam cada vez mais contra a ditadura que os milicos nos impuseram em 64. De tanto ir, fui me acostumando a gritar *abaixo a ditadura!*, *o povo no poder!*, a levar porrada e a correr, a correr e a levar porrada, a ser preso e a ser solto, a ser solto e a ser preso, até que um dia ouvi de um delegado, famoso na época por aplicar taponas nos nossos cornos sem deixar marcas, sopapos nas nossas fachadas sem nelas restar hematomas, hoje já em repouso eterno no quinto do infernos, ele, o tira da federal que também era afeito a dar paternais conselhos aos ainda quase meninos e meninas que prendia, não sem antes baixar-lhes o cacete. E a mim, segurando com os punhos fechados na gola da minha camisa de gabardine *Torre*, quase me sufocando, disse-me, certo dia, entredentes e com um hálito de mil fedores de todos os miasmas, "veja bem, seu corno, agitador de meia-tigela, filho de uma rapariga, comunista de merda ..." — de chibungo eu não me recordo que ele tenha me apodado — "... suma do pedaço, desapareça daqui, na velocidade de um raio, porque se eu der de cara com sua pessoa mais uma vez, fodo-lhe todo, de verde e amarelo, e lhe meto nas grades, no quartel do Dezenove BC, onde filho chora e a mãe não vê", e ainda achando ser castigo pouco, cuidou de mexer com seus pauzinhos para que eu levasse um solene pé na bunda do jornal onde eu trabalhava e, de quebra, cuidou também para que outro pé na bunda, ainda mais solene, me fosse dado na escola de jornalismo que eu fingia frequentar, mas que, por via travessa, me permitia pagar meia-entrada nos cinemas e teatros e assegurava a santa ceia de todos os dias no restaurante da universidade, restando dessa minha pregressa passagem de estudante e pretenso revolucionário o feito de ter comido em uma mesa de mestre-escola da dita faculdade

Fernando Vîta

— ocupávamos então o prédio em protesto cívico —, como mostra do meu repúdio à ditadura e aos ditadores da hora, a camarada Elisinha Cururu, ela devidamente espraiada, na ortodoxa posição de frango assado, sobre a bandeira do Brasil, recordo que a respeitável parte baixa de trás de Elisinha, vistosa, apetitosa e farta, ocupou quase todo o losango amarelo do auriverde pendão da esperança, de jeito que de onde eu estava, no lusco-fusco da trepação, mal e apenas dava para ver duas das quinze letras do lema *Ordem e Progresso* deitado sobre a circunferência azul e as cinco estrelas do Cruzeiro do Sul, o primeiro *O* maiúsculo da ordem e o último *o* minúsculo do progresso, imagine quão formosa era a bunda de Elisa, codinome *Elisaboa*, sem falar que, apesar de rechonchuda e torneada no torneio exato, marcas de biquíni bem traçadas, nada nela tremulava, como costumam tremular, aliás, os pavilhões nacionais, uma vez hasteados ao vento, em mastros, recordo e registro, ainda hoje, que, terminada a função, suados, anchos de tanto gozo, mas prenhes de furor revolucionário, pronunciamos, em dueto, *a luta continua!*, e continuou, e no que deu, descarece dizer, como também descarece aclarar que meu codinome era *Valdemar*.

E aí você queria que eu fizesse o quê? Voltasse para Todavia como o filho pródigo de merda, para os de lá soltarem o malho em minha já desmilinguida reputação? Voltei não, para Todavia não, nem fodendo volto, nem por um grandessíssimo caralho, e não digo que jamais voltarei, porque, sabe você, há os tais fados...

Cabe, no entanto, a senhor qualquer — respeito, pois, o direito sagrado de ir e vir e de vir e ir de todo cidadão, ainda mais se ele for, como você, um incauto, tolerante e curioso leitor e se interessar em saber da minha vida pretérita em Todavia antes de eu dar às de Vila Diogo — fazer de volta o caminho que fiz de vinda, é bem fácil, eu ajudo, eu explico, pegue o Elevador Lacerda, desapeie dele na Praça Cairu, atravesse-a na proa da Rampa do Mercado, ande mais um pouquinho — convém ter cautela com os carros de praça e as marinetes, eles costumam andar picados naqueles arredores — e aí está o Cais da Bahiana, compre um bilhete, embarque no vapor — o *Cachoeira* ou o *Mascote*, o *Canavieiras* ou o *João das Botas*, tanto faz — que você vai dar, atravessada a Baía em questão de uma hora e pouco de relógio, a depender dos ventos e das marés, em São Roque do Paraguaçu, lá, se atraque com os seus panos de bunda e se pique sem mais nem menos, é uma picula da porra para chegar a tempo de achar assento nos vagões do trem da baldeação e até para evitar que ele se vá e lhe deixe, literalmente, a ver navios, sendo que, no caso do atracadouro de São Roque, na

Fernando Vîta

Foz do Paraguaçu, você ficará como um abestado a ver um único e exclusivo navio, justo o que lhe trouxe para pegar o trem, lá navio nenhum atraca, só os da Bahiana, um de cada vez, o resto é saveiro de pescador, barcaça de mulatos fugados dos retratos de Pierre Verger a pitar finórios de cânhamo e canoa de marisqueiro, de sorte que você ou desiste da empreita e volta para a Cidade da Bahia ou vai ter que pousar numa espelunca qualquer, tem várias, ou dormir no banco da estação até o próximo trem no do dia seguinte, veja em que esparro você, por ser abelhudo, caiu, não tenho culpa, mas voltemos à jornada em demanda a Todavia, descarrilamentos do trem à parte, a parada no Caboto para a locomotiva beber água e pôr lenha na fornalha — então, se você estiver com fome, tome um copo de mingau, eu gosto do de massa puba, mas tem também o de tapioca e o de milho verde, que são muito apreciados, o de carimã eu não recomendo, é indigesto por demais da conta, no balanço do trem o cidadão tende a marear e vomitar a zorra toda, dá-se o mesmo com o mungunzá — é questão de mais ou menos três ou quatro horas das boas para a maria-fumaça apitar dando contas da preste chegada, solene e pungente ou não o apito, dependendo do humor do maquinista, e, deixado o rio Taitinga para trás, estancar adiante em Todavia, está o paciente satisfeito ou quer mais?

Posto que chegado, convém fazer o que fazem os que chegam, não importa aonde, olhe para um lado, para o outro, para a frente e para trás e constate, e verifique, e indague-se, e conclua: Jesus, que porra foi que eu vim fazer aqui? Preste atenção nos circundantes, crave as butucas dos olhos nas suas caras dessaboradas, no jeito arrastado de andar, espiar, conversar, na combinação troncha das cores e formas das roupas de vestir, e você haverá de ver que logo ali mesmo, na plataforma da

República dos Mentecaptos

velha estação do trem, duplas que viram trios, quartetos que transmutam em quintetos, sextetos e octetos se formam tão rapidamente como se furta com um único e exclusivo ofício, saber quem é esse porreta visitante, de onde veio, a que veio, quando volta, aonde vai se aprumar por hóspede, como veste, como — ou com quem — se parece, se é gordo, se é magro, se é macho ou veado, se chega em missão de paz ou de querela, de forma tal e de maneira que o chegante já se sente ali um marciano, nu, despido, sem ao menos ter como pôr as mãos no bolso, carecendo de poucos segundos mais para toda Todavia e arredores saberem que tem estranho no pedaço e o visitante sentir um irrefreável desejo de pegar o trem de volta, aí fodeu maria preá, só amanhã cedinho parte o próximo, e descubra em que casa do sem jeito você foi sentar praça, puta que os pariu!, gente abelhuda igual não há que ter precedente nem na Bahia, nem no Brasil e nem no mundo todo de meu Deus. Vez que chegou com vinda sem volta imediata, relaxe, bata canela até o alto da Juerana, ponto limite de onde o preclaro poderá ter uma vista panorâmica, ainda que parcial, do miserê urbano e arquitetônico que é hoje Todavia, já que o quase nada que ela tinha de bonito e histórico da memória dos seus primeiros tempos — a igreja velha dos jesuítas fundadores, o mercado da praça com seus arcos centenários, o matadouro de gado com sua fachada de linhas fenícias, os antigos sobrados e calçadas coloniais — tudo, tudo mesmo foi desgraçadamente destruído para dar lugar a verdadeiros monumentos ao mau gosto, armengues e gambiarras absolutos, que fazem de Todavia a cidade mais mal-ajambrada do planeta, e se dê o viajor por satisfeito, o pior da emenda está no soneto, o povo que Deus, ou o Diabo, pôs para nascer lá, eu mesmo me incluo nesse bando de desimportantes, boa bisca não sou, perdoe-me a sinceridade.

Fernando Vîta

    Agora, já que a sua carteira de abelhudo ainda não está vencida, e para que não perca o tempo nem a gaita da passagem e não arque ainda mais com as cominações que a sua consciência, a essa altura, já lhe impõe, procure saber de mim nos quinze anos, entre o nascer e se picar, em que, como se pagando todos os meus pecados, tive que viver em Todavia e saberá muito pouco, pouquinho mesmo, se nada fiz, também nada desfiz, em sendo assim, na conta de crédito e débito minha terra e eu estamos quites, passar bem. Como seu tempo, meu caro e infausto turista acidental, a bem de Deus é muito curto, veja se ainda acha por aí uma meia dúzia de seis almas que de alguma forma me tiveram por perto — velhos professores, antigos colegas de escola, companheiros de peladas jogadas em campinhos de barro, com bolas de meia — e o que eles disserem de mim vale o escrito, como no jogo do bicho, desnecessário escutar meu pai, minha mãe, irmãos, parentes e aderentes outros, eles tendem, coitados, a achar que eu sou o que não sou, tanto para o bem quanto para o mal, e já consigno e dou fé que em ambas as situações estão prenhes de razão.

    O que lhe dirão? Eu mesmo não sei, mas tenha paciência, tranque-se num canto, beba uma cerveja, bata uma bronha, pegue um livro, jogue paciência, se cartas de baralho à mão tiver, reze aos seus santos de guarda, encomende-se aos orixás, penteie aranha, enxugue gelo, fale sozinho, obre poemas com versos de pés quebrados, descubra a quadratura do círculo, faça o que bem quiser que as horas aí passam lentas por demais e você verá que eternidade eterna lhe separa do próximo trem.

Delegou-me o autor desta destrambelhada prosopopeia — como se já não me fora extremamente penoso chegar até onde cheguei na atenta leitura da sua desarrazoada escritura — a missão de vir a Todavia para mais saber sobre — como se isso me despertasse qualquer interesse... — os quinze anos em que ele por estas bandas perambulou na função de menino aqui nascido, veja a que ponto chega o abuso do pedante que escreve em desfavor do mal-avisado e desprevenido paciente que o lê.

De pronto, asseguro que lhe assiste total razão no que ele espelha em seus livros — todos eles à graça de Deus devidamente ignorados pela crítica e encalhados em umas poucas livrarias de beco — sobre os defeitos e imperfeições de Todavia e de seu povo, e olhe que mal acabo de chegar, não ainda fui ao alto da Juerana para desfrute da tal vista panorâmica, ainda que parcial, a que alude o autor, mas cidade é como gente que se lhe é apresentada, ou se gosta de primeira ou não se há de gostar jamais, que jeito, e no caso presente, valendo, como vale pelo menos para mim — no

Fernando Vîta

seu dizer, um abelhudo turista acidental — tal premissa, asseguro a quem de direito for que, no passar do trem pelas primeiras ruas e arrabaldes da chegança, já no arriar das malas na estação, posso atestar e dar fé, em missa de corpo presente: Todavia é uma merda.

Não vou me dar o trabalho de ficar como um desbussolado a olhar para frente e para trás, para um lado e para o outro, para cima e para baixo, na condição de recém-chegado, como prega o mesmo desabusado escrevinhador, só para descobrir de supetão as qualidades e os defeitos dessa gente daqui, que isso não é da minha alçada; ele, o autor, nascido e criado em Todavia, que se ajeite da forma que melhor lhe convier com os seus conterrâneos, goste ou desgoste, os aprecie ou os desaprecie, culpa não tem ninguém se ele próprio, podendo ter vindo ao mundo na formatação de neném em qualquer outra parte do planeta — Paris de França, Tapiramutá da Bahia, Sevilha de Espanha ou Exu de Pernambuco, para ficar em alguns poucos exemplos — deu-se por satisfeito e abençoado em ser desovado em berço nesse cu de mundo. De maneira que me apresso à missão que me foi confiada, veja ao que não é levado um curioso leitor, e começo a passar adiante o que escutei em Todavia sobre esse tal Fernando Vîta, não me dando à faculdade de fazer o mesmo nos arredores da supracitada urbe por absoluta falta de tempo e por resoluta vontade de dar no pé dessa porra o mais rápido que possa, e o mais rápido que posso é me picar amanhã de manhã, quando parte o próximo trem, ai se tivesse outra condução antes de amanhã de manhã!

Mesmo cônscio de que apressado come cru, comecei minhas cubagens ali mesmo, na estação do trem, logo que cheguei, deambulei pela cidade até o fim do dia e lhes

República dos Mentecaptos

passo o que ouvi dos de Todavia sobre Vita, Fernando, nascido em vinte e dois de dezembro de mil novecentos e quarenta e oito naquele inexpressivo pedaço do Recôncavo da Bahia, espero em Deus que a essa altura com o prazo de validade de vida prestes a vencer, para o maior bem da humanidade e do beletrismo pátrio.

Em tempo, esclareço que em meus reportes obedecerei rigorosamente à ordem cronológica das oitivas:

"... Não, não sou parente desse sacana, não, apesar de também ter Vita no nome. Ele próprio é que por uns tempos andou se gabando para uns e outros que era meu primo carnal, só para poder viajar de graça no trem daqui para Nazaré das Farinhas e de Nazaré das Farinhas para aqui, e por eu ser o chefe da estação da estrada de ferro, ele passava essa bazófia para os chefes de trem sempre que eles vinham a lhe cobrar a passagem, faroleiro já era desde menino. No máximo esse puto é meu primo em terceiro ou quarto grau, e olhe lá, porque a mãe dele, a professora Zita, casada com Edvaldo da Padaria, é filha do finado Giuseppe Vita, que veio de Trecchina, na Itália — uma vilazinha montanhosa da região da Basilicata, nos arredores do Reggio di Calabria, pior ainda que Todavia — para fazer a América veja logo onde, aqui! E o dito Giuseppe era irmão do meu pai, Francesco, que tinha dois outros irmãos, Biagio e Michaeli, vieram juntos, ainda novinhos, todos fugindo da Primeira Guerra, cada um se deu bem a seu modo, eram uns caça-dotes habilidosos e por sorte se deram bem, nenhum deles se achegou a brasileira pobre, eram as moças com

quem namoraram, noivaram, casaram e procriaram no mínimo remediadas, fizeram filhos para caralho, dos quatro Vita velhos que aqui chegaram, nenhum resta vivo, o que primeiro finou foi o avô desse corno de quem estamos a falar, terminou que eu me perdi na prosa, vamos voltar a ela que o tempo urge: esse tal Fernando, a última vez que vi, foi embarcando no trem, rapazote ainda, muitos anos atrás, não lembro quantos, quem sabe pelos mil novecentos e sessenta e tais, para a Cidade da Bahia, todo paramentado, parecendo gente, com uma mala de couro forrada de brim cáqui, espalhando para Deus e o mundo que nunca mais aqui voltaria, bom chibungo ele é, que por lá fique, que aqui não está a fazer a menor falta, pergunte a senhor qualquer, e se eu estiver faltando com a verdade, que um raio caia sobre mim, que mil beribéris me aflijam, que a morte me leve mais cedo, que eu venha a padecer dos males de São Guido, que as sete pragas do Egito...".
(Vita, Chico, empregado da Estrada de Ferro Nazaré)

* * *

"...Sim, claro que recordo, fui a sua primeira professora no primário, aqui na Escola Félix Gaspar. Era um menino bem asseadinho, estou vendo-o chegando nesta mesma sala aqui onde estamos a conversar, todo compenetrado, caderno, lápis e cartilha da Olga Pereira Mettig às mãos; lembro que já sabia um pouquinho da leitura e da aritmética. A mãe dele também era professora primária como eu, e por certo lhe ensinou as primeiras

República dos
Mentecaptos

letras e números ainda em casa, sentava bem ali, sonso por demais, ficava como se estivesse mergulhado nos seus deveres, mas, que nada, bastava eu dar as costas para ir ao quartinho ou à secretaria que ele se transformava de santo em demônio, me perdoe falar assim, até puns altos ele soltava, depois botava a culpa nos demais, levantava as saias das colegas, escondia pertences — a borracha de um, o lanche de outro, a lapiseira, a régua, o mata-borrão, o que achasse por perto — dos coleguinhas, tanto que passei a colocá-lo, prevento, de castigo, de pé no corredor, com a cara colada na parede, toda vez que tinha que me ausentar da sala, ainda que por poucos minutos, para beber uma água ou para me desapertar na sentina. Não, nunca lhe dei um beliscão nem uma reguada, garanto, porque gostava muito dele e nunca fui de bater em aluno, por mais endemoniado que fosse o pestinha; e depois tinha outra coisa, era dele que eu me valia para as récitas das poesias de Castro Alves, Bilac e Gonçalves Dias nos saraus festivos da Félix Gaspar, assim como para discursos a pretexto de qualquer coisa. Lembro até de um dia em que uma autoridade qualquer da Educação, vinda da capital, visitou a escola para distribuir lápis, pastas e escovas de dente da **Kolynos** para o alunato e a professora Sephira Baylão, a nossa diretora, pediu que ele fizesse um breve discurso de agradecimento, pra quê?, Fernando Vita começou a discursar, e cadê parar a discurseira? A dita autoridade — acho que era um inspetor de ensino, sei lá, quem sabe o próprio secretário da Educação em pessoa a dar uma incerta — querendo ir embora e nada de o moleque fechar a boca. A única maneira de estancar

Fernando Vîta

o mal-estar e o desconforto que o homenageado já nem tentava dissimular foi o próprio enlevá-lo em fingido grato abraço e dizer-lhe, pedagogicamente, baixinho, bem ao pé do ouvido, mas eu cheguei a escutar: chega, seu filho da puta, que eu tenho outras escolas ainda a visitar! Mas não tínhamos outras opções melhores na escola, que era pública, para tais tarefas. Muitos dos meninos, até mais talentosos que o filho da professora Zita para essas funções de recitar e discursar, coitados, eram catarrentos, remelentos e tinham as fardinhas escangalhadas, mal passadas, alguns dividiam o mesmo par de sapatos com um irmãozinho ou com um primo, fingindo ter um machucão num dos pés; um único par calçava quatro pés, era uma pobreza magistral, meu Deus, que tempos!

Ah, lembrei outra coisa: era ele também que fazia o papel de noivinho caipira nos casamentos na roça das festinhas juninas da Félix Gaspar, só sendo dispensado da função quando, num desses folguedos de São João, a noivinha de mentira escolhida para a brincadeira se queixou à mãe dela que o filho da professora Zita tinha lhe convidado para, depois do ensaio da quadrilha, ir fazer ousadia no jardim, já que, no achar dele, estavam devidamente casados. Sei não, posso estar enganada, mas vez por outra peguei o moleque, que sentava na primeira fileira de carteiras, tentando — me perdoe falar assim — pegar lance das minhas coxas, aproveitando-se, talvez, de algum descuido da minha parte no sentar ou levantar, e depois saía a espalhar a cor da minha calçola. Por que eu nunca me queixei à sua mãe, minha colega professora? Conto: se assim o fizesse, a professora Zita — esse era o

Mentecaptos

seu apelido, o nome verdadeiro era Tereza, Tereza Leal Vita Souza — ia lhe baixar o sarrafo, que Zita não alisava no exemplar à palmatória os filhos, os nove estão todos aí, vivos e fortes, para não me deixar mentir..."
(Oliveira, Margarete, professora da Escola Félix Gaspar)

* * *

"... O pai dele era um paroquiano da melhor qualidade, homem de frequentar as nossas missas todos os domingos e de receber a santa hóstia imaculada penitentemente, colaborador esforçado nas comissões organizadoras das festas dos dias santos de guarda, membro fundador da Congregação Mariana, irmão devoto da Sociedade São Vicente de Paula, um homem pio, eu ponho as minhas mãos no fogo por ele, a não ser que o dito Edvaldo da Padaria, pai desse rapaz Vita sobre quem você me pergunta, com aquela carinha de santinho do pau oco, andasse a aprontar malfeitos e os sonegasse de mim, que da humanidade tudo se pode esperar, mas nas confissões contritas que dele escutei, com regularidade elogiável, posso lhe dizer, sem publicitar os segredos do confessionário aos quais jurei guardar em cofre de sete chaves desde quando me ordenei, que nunca lhe receitei como penitência nada além de umas poucas Ave-Marias, umas Santas Marias Mãe de Deus, aqui e acolá um Creio em Deus Padre, nada de pena muito pesada, tudo nos conformes com a venialidade ou a mortalidade das faltas cometidas perante os dez mandamentos da lei de Deus, e que fique aqui entre nós que, assim de mais, digamos, imperdoável deslize que ele me contou em tempos idos foi que pecou

Fernando Vîta

contra a castidade quando, ainda solteiro, emprenhou uma moça, fez nela uma filha bastarda, mas se a gente for botar chocalho no pescoço desses emprenhadores anônimos ou públicos que andam por aqui e arredores, quem de dormir em paz em Todavia há de? E eu mesmo que o diga, caríssimo irmão em Cristo, eu que o diga! Atire a primeira pedra quem ainda não fornicou de forma ilegítima, seja contra as leis da Santa Madre, seja em descumprimento aos códigos dos homens, seja pondo um par de galhas em uns cornos conformados ou não. Mas, centremos nossa conversa no menino Fernando. Falei tanto do pai dele, porque foi ele que me pediu que acolhesse seu **bambino** na minha tropa de pequenos sacristãos, e eu o fiz em consideração a Edvaldo da Padaria, no que me fodi, porque o moleque não era de confiança. Bebia o santo vinho e comia hóstias sorrateiramente furtadas do nosso estoque regulador na sacristia. Ainda bem que nem o vinho nem as hóstias estavam consagrados, mas desde pequeno o corno já mandava para as calendas romanas o não furtarás das leis de Cristo, e como se fosse pouco, o precoce imitador de São Dimas dava-me virotes frequentes nas coletas dos dízimos, tanto quando passava a sacolinha entre os nossos pobres fiéis, quanto quando eu lhe delegava poderes para cobrar os santos óbolos em batizados, crismas, primeiras comunhões e casamentos. E caía de quatro! Veja que grandessíssimo aprendiz de malfeitor. O mala-sorte praticava ainda a mais-valia com os fundos da paróquia de Todavia até mesmo quando dobrava os sinos no badalar dos enterros, aprecie aonde eu fui amarrar meu jegue, de maneira que quando ele resolveu ir embora daqui eu até

Mentecaptos

que agradeci ao Pai, não ao dele, que se me passou esse verdadeiro presente de grego, o fez por certo para evitar que o próprio filho fizesse ombros armas em uns trocados do caixa da Padaria Vitória — esse era o nome da sua firma — que iria com certeza quebrar, falir, virar pó, com a sanha de roubar de um cuspido e escarrado larápio que não respeitou nem o sagrado dinheiro de Deus, que dirá... Que mais eu posso dizer desse estrupício? Que ele se foda e nos deixe em paz, já foi tarde, puta que o pariu! No mais, foi um prazer conhecer sua pessoa. Fica por aqui até quando?"

(Galvani, monsenhor Giuseppe, pároco da Paróquia de Todavia)

* * *

"... A mãe, Zita, insistiu comigo que foi um horror, para que eu ensinasse Fernando e Terezinha, a irmã dele, a tocar acordeão. A menina era muito aplicada e com pouco tempo já solava, por música, com os olhos grudados nas partituras do método do famoso professor Mário Mascarenhas, que eu usava em minhas aulas noturnas, as valsas mais conhecidas e admiradas: **Sobre as ondas, Danúbio Azul, Serenou**. Por vezes saía-se bem até em peças mais complicadas de tocar, como os chorinhos **Brasileirinho, Carinhoso e Apanhei-te, cavaquinho**. Mas o diabo do menino parece que tinha as mãos de madeira e os dedos de pau, era uma dificuldade terrível para formar os acordes mais simples, as variações mais banais, as teclas brancas de marfim e as pretas dos tons sustenidos, pareciam ser agredidas ao seu toque. Além do que ele persistia em dedilhar o instrumento sem

Fernando Vîta

olhar para as partituras, como se obedecendo aos seus próprios instintos e ouvidos, improvisando, inventando harmonias e melodias, nunca vi desastre mais absoluto, de sorte que com pouco mais de dois meses de esforços inúteis entreguei os pontos, chamei Zita de Edvaldo da Padaria e lhe desenganei: sabe quando seu filho vai aprender a tocar qualquer instrumento? Nunca! Não insista, desista! Coloque-o para aprender bater máquina de escrever, na escola de datilografia copista das irmãs Mercedárias. Para o seu bem e o dele, ainda lhe disse. Parece que ela não gostou muito do diagnóstico nem do conselho, tanto que dias depois eu soube que esse mesmo elemento estava a tomar aulas de piano com o professor Sóter Barros. Não, a menina Tereza continuou no aprendizado, nunca viria a ser um Luiz Gonzaga, uma Adelaide Chiozzo ou um Sivuca, mas não fazia vergonha de se ouvir."
(De Tonito Pithon, professora Ita)

* * *

"... Em não mais que duas semanas expulsei-o das minhas aulas de piano. Rude, pretensioso, obtuso, desafinado, se continuasse a frequentar as classes de futuros tocadores de vários instrumentos, no sobrado da Sociedade Philarmônica Amantes da Lyra — e lhe digo que nunca cobrei um mil-réis de mel coado por elas, só queria mesmo era apartar aquele bando de desocupados dos vícios da juventude, por meio da música — a desgraça seria maior, nem ele aprenderia a tocar uma porra de um apito que fosse, nem eu, quase nonagenário, escaparia de dar-lhe um sopapo

República dos Mentecaptos

na cara, tal sua insolência. Imagine que na vez primeira em que lhe apliquei um cascudo e uma porretada com a minha vareta de regente, por causa de uns muitos bemóis equivocados, o corneta veio com os dedos em riste e um olhar de facínora na minha reta, na frente dos demais aprendizes, a dizer que eu não era o pai dele e coisa e tal; e aí eu subi nas tamancas e lhe disse que claro, não era o seu pai mesmo não, que eu jamais desperdiçaria a minha pouca gala de provecto maestro para gerar um merda como ele, e que ele fosse à puta que o pariu e me deixasse em paz. Resultado: o pai do energúmeno ficou de mal comigo. Soube até que anda a esculhambar-me, como mestre de banda e como pessoa, por onde passa. Estou a cagar e andar para ele também, porra, que não lhe devo favores nem louvores!"

(Barros, professor Sóter, regente da Sociedade Philarmônica Amantes da Lyra)

* * *

"... Na datilografia, a princípio, até que ele foi direitinho. Aprendeu a bater com rapidez o **ASDFG** e o **ÇLKJH** da primeira lição, teve um pouco mais de dificuldade nas lições seguintes, principalmente por insistir em não tocar nas letras do teclado com os dedos indicados pelos métodos mais apreciados — e aqui cito o antiquíssimo **Manual de Dactilografia**, de Ernani Macedo de Carvalho —, era como se ele quisesse inventar uma maneira própria de lidar com a datilografia, que o senhor sabe, é uma arte, uma habilidade, um bom datilógrafo copista, ainda hoje, ganha fortunas em qualquer cartório, copiando

Fernando Vîta

certidões, ou em delegacias de polícia, a registrar, a termo, depoimentos de malfeitores. Não posso dizer que Fernando Vîta — a gente o tratava por Vîta, com mais frequência — saiu daqui sem nenhuma serventia para o ofício de datilógrafo, mas teve um sucesso que nos impediu de lhe conferir, como fizemos com os demais alunos no fim do curso, um diploma de formado, com retratinho de beca e tudo. Eu lhe conto, mas não espalhe. Numa prova de mecanografia — lembre-se que aqui ensinamos a datilografar e a limpar e consertar as máquinas, datilografia e mecanografia — a tarefa era desmontar e montar o cilindro de uma **Remington Standard**, antiga mas ainda em pleno uso e valia, uma tarefa, um teste bem simples, e o resultado foi um desastre. A máquina está hoje inutilizada para o uso, virou sucata, para mais nada serve, peça de museu. Não, não era uma má pessoa, não. Apenas meio azoada, atrapalhada, aligeirada, desencontrada, sei lá..."
(da Virgem Soberana, sóror Anunciação, diretora da Escola de Dactilografia e Mecanografia Nossa Senhora das Mercês)

* * *

"... Chovia e relampejava que era um horror naquela noite de dezembro, a data exata não me cabe lembrar, de maneira que quando Osvaldo Sapateiro, já passava das duas da madrugada, bateu à minha porta — minha na maneira de dizer, já que eu era seu inquilino, a casa onde eu morava em Todavia era uma das muitas que o tal Osvaldo possuía para alugar, um senhorio muito ranzinza e criador de caso, o sapateiro — e eu um jovem médico, recém-casado e já com filhos a criar, à cata de clientes

República dos Mentecaptos

como puta em busca de macho bom pagador, não fiz cu doce, então fomos debaixo do aguaceiro, Osvaldo a pedalar uma velha bicicleta **Monark** e eu aboletado de carona no porta-bagagem, no prumo da casa de Edvaldo da Padaria, que não era muito distante da que eu morava, onde, segundo Osvaldo, a parteira Amélia estava encontrando muitas dificuldades para fazer a professora Zita parir um nascituro que se recusava a vir à luz.

De fato, quando lá chegamos, vimos pela cara de terror da velha e experimentada parteira, pelos gritos de dor da parturiente e pela tremedeira das mãos do pálido dono da padaria, que segurava um candeeiro de lume com uma delas e com a outra comprimia os colhões como se os quisesse apartar do resto do corpo — Todavia tinha na época uma energia elétrica precária e que se ia à meia-noite, era como se luz não tivesse — vimos eu dizia, que a coisa estava complicada, ainda bem que eu tinha trazido a minha maleta de doutor e os fórceps estavam à mão, sorte de todos foi eu ter chegado a tempo, o moleque a ser parido estava com a cabeçorra entalada nas partes da professora, foi uma tarefa de Hércules desenganchá-la mesmo com o uso dos fórceps, a parteira Amélia, com todo o seu histórico de tantos partos, já tinha dado o caso como perdido, com o moleque se fodendo antes mesmo de vir ao mundo e a mãe dele podendo pegar semelhante estrada, aí quando, depois de muitas manobras e paciência, tivemos o buguelo às mãos, claro que eu fiquei feliz e elogiei sua robustez e formosura, mas só da boca para fora, a fim de garantir, da parte do seu pai, o pronto recebimento dos meus honorários e, talvez, quem sabe, de alguma prenda a

Fernando Vîta

mais, um queijo **Palmyra** ou um peru bem gordo no Natal, mas que o corninho era feio que só o estupor, ah isso era! Cabeçudo, bojudo, oblongo, pesando mais de cinco quilos, juro por Deus que até hoje eu fico a imaginar como foi que a professora conseguiu excretar um mondrongo daquele pela via bocetal, sem ser por meio de uma cirurgia cesariana. Pense em um humano a cagar um abacaxi ou a dar à luz um adobe. Assim devem ter sido as dores de parir dela, valha-me Deus! Depois que o tal menino cresceu, pouca coisa mudou, ele continuou feioso. Consta que Edvaldo da Padaria, em gratidão a Osvaldo Sapateiro pelo seu providencial adjutório daquela noite de tormenta, fez da mulher do sapateiro, dona Avelina, madrinha do menino, que na pia de batismo recebeu o nome de Fernando. Não, Osvaldo não virou padrinho porque era membro da **Venerável Loja Maçônica Deus é Amor**, e Edvaldo era católico por demais, carola dos verdadeiros para tomar um maçom por compadre, mas o menino sempre chamou Osvaldo de padrinho, e Edvaldo o tratava como compadre de consideração.

É o que eu tenho a dizer desse moço, se é que de alguma serventia ao seu ofício terá o que eu tinha a lhe dizer. Até hoje, passados tantos anos, não tem um Natal que Edvaldo não me mande um queijo. Não passo um São João sem receber dele uma lembrancinha, sejam umas mãos de milho verde, umas quartas de amendoim, um peru gordo... A propósito, o senhor toma algum fortificante? Tem prisão de ventre, por acaso? Leve estas amostras grátis do **Óleo de Fígado de Bacalhau** e das **Pílulas de Vida do Dr. Ross**. Podem

lhe ser de serventia algum dia, a gente nunca sabe."
(Fonseca, doutor José Antônio, médico, clínico geral, CREMEB-BA 026322)

* * *

"... Ele se enturmava com um bando de moleques da sua laia para roubar cocos e mangas no meu sítio. Fiz queixa à professora Tereza e cheguei a dizer-lhe que, só em consideração a ela e a seu Edvaldo da Padaria eu ainda não tinha me valido da minha espingarda espalhadeira para açoitar aquela súcia de lá com tiros de sal grosso. Sabe o que ela me disse? 'Faça isso, seu Ernesto, por favor, atire mesmo! Deixe estar que quando ele chegar aqui em casa com os quartos em carne viva, todo salpicado de sal grosso, antes de cuidar dos curativos aplico umas boas dúzias de bolos à palmatória nas duas mãos para ver se ele toma jeito de gente. Não pari filho pra ser ladrão', ela me disse."
(Surdo, seu Ernesto, dono do pasto onde os meninos jogavam bola, faziam saliências com jumentas e, de quebra, também roubavam frutas no sítio anexo)

* * *

"... Uma vez a gente resolveu fazer um concurso de punhetas para ver quem de nós conseguia fazer o jato de porra chegar mais longe, tipo os atletas fazem nas olimpíadas com o lançamento de dardos ou de varas, se o paisano me entende. Traçamos a risco de carvão uma linha reta no chão de cimento cru dos fundos do salão paroquial, ao lado da igreja de Santa Rita dos Impossíveis, padroeira de Todavia, aonde deveriam ficar

Fernando Vîta

alinhados todos os batedores de punheta; eram uns oito ou nove, na faixa dos doze a catorze anos de idade. Aí riscamos outra linha reta coisa de uns dois metros à frente, e, ao meu sinal, já que eu, por ser o mais velho, era o juiz, todos os moleques começaram a tocar suas bronhas ao mesmo tempo, não havia cronometragem determinada para o gozo, o importante era fazer o jorro de porra chegar o mais longe possível da linha em que os competidores estavam perfilados. Ganhou a disputa um camarada conhecido como Domingão, que morava na Maria Preta. O jato dele passou por cima da linha traçada quase palmo e meio. Não lembro quem venceu em segundo lugar. Esse Fernando, de quem você fala, ficou escabreado, engrunhado, sei lá; a disputa acabou e a gente ainda deixou ele lá na sua punheta sem fim e sem gozo e sem jato.

Outro particular acerca desse camarada: quando íamos às jumentas, ele ficava sempre no até mais ver, porque nós todos nos aliviávamos nas jeguinhas de seu Ernesto Surdo e ele sobrava porque era muito mirrado e troncudo, baixinho demais, por assim dizer, para chegar com a rola na entrada dos baixios das animálias, carecia sempre de que um de nós o carregássemos pelos quartos e o encaixássemos no buraco da delícia, era assim que a gente apelidava as xerecas dos bichos do Surdo. E quem é que queria carregar sacana algum, em demanda de desfrute de gozo em jega depois de já se ter dado por aliviado? A gente ficava com pena do filho da professora, mas que jeito? Farinha pouca, meu pirão primeiro, assim é a vida, não é?"
(de Evaristo, Elsinho, tenente-coronel da reserva da PM do estado de Sergipe)

República dos Mentecaptos

* * *

"... Não sabe essas conversas de menino que a gente adulta nunca esquece? Assim foi a que eu tive com esse Fernando. Eu aqui, na minha alfaiataria, posto nos meus alinhavos de calças e paletós e me aparece o menino de seu Edvaldo me dizendo que queria ser comunista. Eu achei engraçado, um porrinha daquela idade — tinha, sei lá, uns doze anos, no máximo — querendo ser comuna, camarada de partido! A partir daí, sempre ele dava as caras por aqui, fazia perguntas, matava a sua natural curiosidade infantil a respeito da URSS, Lênin, Stálin, Marx e companhia. Eu tentava ser o mais claro e não dialético possível para facilitar a prosa, depois ele se ia, sumia, reaparecia dias depois com o mesmo enredo, cheguei até a lhe dar uns exemplares de O Momento, o jornal da Bahia que o PCB dizia que nada tinha a ver com o partido, mas que vivia a soldo do partido, sim senhor. Depois o menino sumiu daqui, parece que foi estudar na Bahia; não mais tive notícias dele, também se deu que veio o golpe militar, tirei uns oito meses de cadeia na capital, levei umas porradas, passei por poucas e boas, mas aqui estou, firme e forte, a causa da luta proletária só me fortifica, o senhor já leu Marx, por acaso? Não sei o apito que o senhor toca, mas enquanto existir Capital de um lado e Trabalho do outro, teremos o eterno embate entre ambos, o primeiro sempre na função de pica, o segundo eternamente na missão de cu: um enraba, o outro é enrabado. O Capital é cavalgante, o Trabalho, cavalgado, daí que a mais valia... Quer tomar uma crua, camarada? Tenho aqui uma cachaça

Fernando Vîta

de nome **Orgia**, do alambique de Clomar, que é de se beber sonhando! O considerado não bebe? Não sabe o que está perdendo..."
(Alfaiate, Quito, comunista de carteirinha, um dos três que ainda existem em Todavia, no dizer dele próprio)

* * *

"... Falou que queria ser jornalista, que andava a escrever umas coisas em casa, em um jornal feito à caneta e a papel pautado, onde ele esculhambava os irmãos, vizinhos de porta, primos, empregados da casa, mas que isso não era nada para o que ele ainda sonhava ser na vida, além do que algumas vezes o que ele escrevia desagradava a uns e outros, rendendo-lhe aborrecimentos e até cascudos, como na vez em que escreveu que a enteada de um vizinho dava as coxas para o aguadeiro, o vizinho não gostou do escrito e lhe exemplou merecidamente, de maneira que ele desejava que eu o amparasse em **O Palládio**, jornal onde eu sou o faz-tudo, escrevo, componho em letras de forma, imprimo e saio a distribuir pela cidade, antigamente todos os domingos, chovesse ou fizesse sol, hoje só quando me dá na telha, que nesse comércio de jornal no interior só se dá bem quem escorcha, trapaceia, leva por fora, pega o faz-me rir, o cala-boca e os outros adjutórios tão conhecidos dos jornalistas, não é **vero**? Pois bem, eu medi o moleque de proa a popa e disse-lhe que tudo bem, que ele poderia começar no dia seguinte, no turno da tarde, quando ele não estava na escola; ele até me disse que eu não me preocupasse com pagar-lhe salários — como se eu

Mentecaptos

fosse isso fazer, veja que aleive! — e no dia seguinte ele chegou, na sede do jornal, todo bem vestidinho em sua calça de brim cáqui e na camisa branca da farda da escola. Então eu lhe perguntei se ele escrevia bem, ele disse que sim, que todos elogiavam os seus escritos no colégio; e eu, ainda, sua caligrafia é boa? Ele disse, prenhe de orgulho, que sim. Então eu disse que ia querer que ele provasse que escrevia bem ali mesmo, no ato. Ele abriu um sorriso juvenil e gracioso, aí eu peguei um litro com água e lhe dei, eis o tinteiro, peguei uma vassoura de palha de piaçava e também lhe dei, eis a caneta, disse-lhe. Peguei um pano de esfregão e o pus dobrado sobre o seu ombro direito, gracejei: é o mata-borrão. Agora me faça a escrita de **O Palládio**, da porta da frente aos fundos do quintal, me varra essa porra dessa casa, por favor.

O puto ainda me perguntou para que serviria a tinta, no caso a água no litro, e eu lhe disse: para borrifar o chão e não deixar que a poeira suba ao varrer da vassoura. O desaforado picou o litro d'água nos meus pés, foi vidro quebrado e água espalhados a torto e a direito, atirou-me o esfregão nos cornos e me mandou enfiar a vassoura no cu. Contei o ocorrido como se deu a Edvaldo da Padaria, mas não me parece que aquele sacana tenha chamado às falas o filho desaforado. Ao que se comenta em Todavia, quem caía de pau nos nove filhos, quando preciso, era a professora Zita, que Edvaldo não é de bater nem em porta alheia, que dirá!..."
(Mendes, Urânio, rábula, diretor, redator, repórter, impressor e distribuidor de <u>O Palládio</u>, único periódico que circula em Todavia)

Fernando Vîta

* * *

"... Se eu conheço Fernando Vita? E eu sei lá quem é esse merda! Não o conheci, não o conheço, não quero conhecer e tenho raiva de quem o conhece. Ele é eleitor daqui do município? Vota aqui? Não deve votar, se votasse eu, com certeza, saberia. Sua pessoa saiu da Bahia só com essa missão, de saber de mim quem é esse formidável? Bata-me um abacate, preclaro! Faça da porta afora a serventia e me deixe em paz! Tem dinheiro para a passagem de regresso? Se não tem, dou-lhe do meu próprio bolso, mas se pique já de Todavia, que de curiosos e leva e traz bastam os daqui mesmo. Sabe o outro Magalhães, que não é nem meu parente, o Antônio Carlos, o ACM falado? Sou da política dele desde que ele se candidatou a deputado estadual pela primeira vez, novinho, quase menino! Dei-lhe aqui, naquela eleição, já não me lembro o ano, quase que os votos todos de Todavia. Foi porteira fechada, quase não restaram votos para mais nenhum outro deputado! Somos assim, oh, até hoje, como unha e carne. Se ele me mandar arranjar votos para Deus, ótimo, mas se for para votar no Diabo, dá no mesmo. Pergunte por compadre ACM, este eu conheço e posso falar, não por um bosta qualquer como esse... Fernando, o que mesmo?"
(Braga, Augusto Magalhães, prefeito de Todavia já pela terceira ou quarta vez)

* * *

Já no trem de volta, desempenhada, a contento, creio, a missão que delegou o pedante autor a esse desavisado leitor, pergunto-me, perplexo: que faço eu neste romance,

República dos Mentecaptos

se é que por puro espírito de solidariedade cristã podemos realmente nominá-lo assim, de romance? Que papel nele me cabe, se não o de apenas ler-lhe as tantas páginas, gostar ou não gostar do que elas contam, recomendar ou não a uns e outros a sua leitura? Dever-me-ia ter ficado à parte da trama ou nela ter adentrado, no figurino de um verdadeiro duque de entrão, como, à minha custa e risco, acabei por fazer? Teria eu desconsiderado o conselho milenar que a tantos já foi dado e que outros tantos já olvidaram de que boa romaria faz quem em suas casas fica em paz? Se o fiz, porventura, não agi em estrita obediência a outro ditado igualmente milenar que prega que conselho e água benta só se dão a quem os pede, e eu não os tendo pedido a senhor ninguém, ache, neste exato instante, razoável mandar que o conselheiro da hora soque-os a ambos no próprio cu, a água benta e o conselho?

Vá viver-se em boa paz num mundo de tantas e tantas máximas. Espero que não seja mínima a comiseração dos pósteros com esse pobre e desvalido leitor, que se porventura pecado teve, a ele já pagou, com excessivos juros e outras cominações, justo por ter estado em Todavia, ainda que por pouco mais que uma dúzia de horas, graças a Deus.

Juro pela hóstia consagrada que prefiro que desabe sobre a minha cabeça a tonelagem toda do meteorito de Bendegó, que se me aponham sobre a testa os cornos de bilhões de bovinos, de trilhões de diabos e de todos os traídos mansos do universo a ter que vestir a carapuça que me tentou impor em linhas já idas o curioso leitor, talvez deveras arrependido pelo desperdício do seu precioso tempo nas andanças por Todavia: a de que eu, por lhe ter dado conselho e água benta sem que ele, leitor, me os tivesse pedido, deveria agora fazer chegar ao oco do meu rabo tanto a beatífica água quanto o intempestivo conselho. Não, caro leitor, permita-me que eu divirja: não lhe dei, sem petitório, água benta, quanto mais conselho, apenas deleguei-lhe a autoridade de buscar em Todavia o meu passado, caso a sua curiosidade sobre fosse tanta e imensurável em bitola que não lhe permitisse fazer a melhor romaria, em casa ficando em paz, se mais que isso fiz foi dizer-lhe como ir lá, como chegar, como se precatar com a terra e as pessoas, o que é sobremaneira diferente de aconselhar, posto que o emprego de tal verbo — aconselhar — pressupõe sempre por princípio de ortodoxia

Fernando Vîta

gramatical a cautelosa antecipação de quatro palavrinhas, são elas: *se eu fosse você,* antes do faria assim ou assado, na frente do não faria isso nem aquilo, sem o *se eu fosse você* não há conselho que mereça ficar de pé, é cláusula pétrea, portanto, o *se eu fosse você* antes de qualquer conselho, sabe disso todo aconselhador, por mais desprovido de siso que seja, de sorte que devolvo para que o ilustre faça o melhor uso, o conselho e água benta, no meu cu mesmo é que eles não haverão de chegar, não os quero a me invadir íntimos recônditos onde a luz do sol nunca alumia, não o faço por merecer, fica o tudo aqui escriturado à guisa de esclarecimento, não se melindre qualquer desavisado penitente, que insista em ler o que escrevo, em assentar praça em minhas tramas, é uma questão de livre-arbítrio, direito de ir e vir, essas coisas tais, faça o favor, fique à vontade, a casa é sua, e se eu fosse você, em boa romaria fazendo, nela ficaria em paz, o que seria ainda melhor para ambas as partes — está aí exarado um conselho que não me foi pedido, este pode o leitor me mandar metê-lo à bunda se melhor assim lhe aprouver, já que a ele cuidei de ajuntar como abre-alas quatro palavrinhas: *se eu fosse você.* De meu lado, até por grato me dou que tantos sítios, personagens e lembranças dos meus dias de menino em Todavia tenham agora vindo à baila, pelas mãos do diligente e percuciente leitor, embora nem todo o dito valha o escrito, há pormenores esquecidos, detalhes olvidados, exageros a favor e contra aqui e ali, dar-me-ei por necessário ao trabalho de repor os pontos nos *is*, notoriamente no que tange às pessoas ouvidas, só umas poucas merecem crédito, outras tantas, a maioria, compõem uma fauna de sacripantas, mandriões, valdevinos, estroinas — me faltam qualificativos, juro, para enquadrá-las — e o farei, ao contrário do leitor viajor, na ordem cronológica

República dos Mentecaptos

inversamente proporcional à das suas oitivas, esclareço: ele começou pela primeira alma que ouviu — o Vita, Chico — chefe da estação do trem, e findou pela última, — justo o Braga, Augusto Magalhães —, alcaide de Todavia já tantas vezes que, creio, nem ele próprio há de lembrar quantas.

E sabem a razão de ele não se alembrar? Lembro-lhe eu, que não padeço de desmemória. Desde que me entendo por gente, que esse mesmo Augusto Magalhães Braga (não farei como o ardiloso e anônimo leitor, que se sabe lá por quais razões, houve por bem grafar o nome dos seus depoentes começando pelo sobre, que é o fim de todos os nomes, para chegar ao nome, que é o princípio de todos eles, não que isso clarifique, de já, uma divergência entre o mortal que escreve e o que o lê, ai de mim, quem sou eu para!), o Braguinha — alguns o apelidam assim, outros o tratam por AMB, ainda há os que o apodam de *Três Letrinhas* — é prefeito de Todavia, ele próprio em pessoa ou na carcaça de um qualquer dos seus paus-mandados, tão mandados os paus escolhidos a dedo por Augusto Magalhães Braga para comandar os destinos — e, principalmente, a arca, as burras, o tesouro, o erário, o cofre — de Todavia que sempre foi, é e será, até Deus sabe quando, como se o próprio AMB estivesse no timão da municipalidade, seja na forma de Augusto, de Magalhães, de Braga ou de Braguinha, faça a escolha que quiser, vale até a da irônica *Três Letrinhas*, o homem é um danado no comando dos votos dos seus munícipes, os tem no bolso e na alma, guarda seus particulares mais íntimos e deles faz uso quando necessário, os particulares, que por serem particulares, não se devem tornar públicos. Ele cativa a todos com os mimos que todo o povaréu ama, e o de Todavia mais que qualquer outro — um terreno baldio para levantar um barraco, um vale para o cimento, a areia e o tijolo necessários ao mutirão,

Fernando Víta

a graninha miúda para a pinga barata, um empreguinho numa repartição, um adjutório qualquer que seja — de sorte, ou de azar, que a vida vai passando e nela Augusto Magalhães Braga vai ficando, sempre no ofício de alcaide, quando não ele, os seus mandados paus.

Nada contra tenho eu, não, não tenho, que AMB vá se perpetuando no mando, sou daqueles que respeitam a vontade popular, *vox populi, vox Dei*, e em assim sendo, dúvidas não me assaltam a respeito da evidência de que se Augusto Magalhães Braga está há tanto tempo a assaltar as parcas moedas de Todavia, o faz por delegação expressa do rebanho de abestalhados que nele votam ou em quem ele mande que votem, quem nasceu para ser eleitor de cabresto, encabrestado morrerá, além do que, pergunte quem são os adversários do *Três Letrinhas* e eu já lhe digo que são uns outros bangalafumengas bem piores do que ele, AMB pelo menos sabe se vestir com aprumo, falar ao povo com eloquência, leu pela metade uma meia dúzia de seis livros, come com garfo e faca sem grandes dificuldades, é um homem de salão, diz-se, sem contar que é um esperto nas artes da sedução, o que lhe garante, além de rocambolescas aventuras nas entrepernas do feminil local e de alhures, histórias e estórias que o povaréu vive a repetir desde as biroscas dos mais pobres às antessalas dos barões, vá um qualquer entrar na política sem tantas e tais qualidades e foder-se-á de primeiro ao quinto, minguará no olvido dos tempos, nunca será porra nenhuma por absoluta carência de votos, se assim é em paragens mais encorpadas em moralidade e sabedoria do mundo todo, por que seria diferente logo em Todavia, onde ambas — sabedoria e moralidade — não abundam, são joias tão raras que nem o filósofo grego Diógenes de Sinope, com lanterna e tudo, haveria de as encontrar?

Mentecaptos

Tínhamos — ou ainda temos, não sei se Deus já se serviu ou desserviu-se em chamá-lo ao reino da sua glória — um camarada metido a gato mestre, Amabílio Monteiro Opobre, que obrava uns panfletos muito interessantes, além de assinados, não anônimos, como são as cartas que os de Todavia amam pôr, nas ermas madrugadas, pelo breu das portas uns dos outros, sim, o Amabílio era de desmilinguir, de peito aberto, a canetadas, as reputações de quem lhe desse na telha, nunca de esculpi-las com nobreza, a cinzel, AMB era freguês de caderno da sua pena viperina, e olhe que o próprio Monteiro Opobre se dava ao desfrute de distribuir seus folhetins em pessoa, consta que aos próprios esculhambados ousava entregá-los em mãos, levou algumas surras aqui e acolá, teve a fachada da sua velha casa pintada de merda da eira à beira, mas nunca fez por menos: quando não gostava de alguma coisa, por mais boba que fosse, pau na canalha e vida que segue. Pois bem, esse Amabílio, certa feita, puto dentro das calças, como se diz, com Magalhães Braga, não me pergunte o porquê, alguma quizila de somenos ou pleito não atendido, deveras, usou o que disse o siciliano Luigi Pirandello de um dos seus personagens — o ladravaz Batta Malagna, de *O falecido Mattia Pascal* — para lhe descrever a reconhecida proficiência em ladroar a coisa pública, o que fez em um panfleto, tenho-o guardado, uso-o agora, assinaria embaixo se panfletista também fosse:

> *"Gostaria de saber como é que ele justificava, na sua consciência, os furtos que continuamente perpetrava em nosso desfavor. Não tendo ele, como já referi, nenhuma necessidade de o fazer, havia de ter uma razão, uma desculpa qualquer que o justificasse. Talvez, digo eu, roubasse para se distrair, o coitado do homem".*

Fernando Vîta

A Batta Malagna, de Pirandello, até que se poderia acatar a adjetivação de coitado, mas a Augusto Magalhães Braga, nunca, trouxe de berço as manhas de manobrar com as consciências e os votos dos de Todavia, às primeiras, sem dispender grandes esforços, o povinho daquela terrícola as tem tão ocas quanto ocas são as câmaras de ar dos pneumáticos das bicicletas, estas ao menos trazem o vento quando não furadas, aqueloutras, nem isso, e quanto aos sufrágios, por artes do cão do sétimo livro, ele sempre teve a tenência de os multiplicar a cada nova porfia eleitoral, votavam nele defuntos, fantasmas, eleitores de outros municípios, por vezes o mesmo sacana sufragava o seu nome — ou o do pau mandado da hora — uma, duas, três e até quatro vezes, e Braguinha, de casa, a prognosticar os resultados antes mesmo que os votos fossem contados, na mão grande, cédula a cédula, por escrutinadores e juízes da sua estreita confiança, tanto que, antes de virem a público os resultados finais, um positivo os levava às suas ágeis mãos para que ele visse se estavam nos conformes, caso não estivessem nos conformes, Augusto Braga mesmo orquestrava sutis modificações numéricas, tempos em que vereador eleito se fodia em favor de quem não o tinha sido, a caneta firme nos mapas eleitorais dava jeito em tudo, democracia popular às favas, pois não, aí está a causa de AMB não saber quem eu sou: nunca teve o meu voto nem nunca o terá, a não ser que os fados, sempre eles, a gente nunca sabe, determinem o contrário (a professora Zita e seu Edvaldo da Padaria é que, à época, eram braguistas ferrenhos, hoje já não sei se o são tanto) e que também não fique crível essa milonga de AMB, de que é *lé* com *cré* com ACM, são letras que não se misturam, são águas que não se turvam umas às outras, vê lá se a panela de ACM tem ponto de fervura para cozinhar um desimportante da laia do Braguinha, prova maior está à

República dos Mentecaptos

mostra no fato de o sábio Antônio Carlos fugir como o Diabo da cruz de vir a Todavia, só para se ver livre de assumir perante Deus um compadrio que nunca lhe interessou nem jamais lhe interessará, ainda mais por implicar virar padrinho de batismo do primogênito de um politiquinho de província, um abilolado que lhe tem a mesma graça, não a mesma astúcia, e, pasme, apesar do domínio do pai sobre os votos dos da minha terra, de vereador não passa o desparafusado do filho, é seu limite e a sua glória terrena, a vereança, já chegou aos mais de trinta de idade e continua tão pagão quanto quando à luz deu-lhe sua mãe, uma branda senhora de nome Assunção, e se depender de vir um dia Antônio Carlos Magalhães a Todavia para a aspersão sacramental da sua cabeça literalmente oca, pagão há de morrer o Augustinho do Braguinha, e aqui paro, por enquanto, com Augusto Magalhães Braga, o que se diz compadre de ACM sem nunca o ter sido, apenas aduzo ainda que o desmiolado do seu filho usa em suas campanhas para tentar abiscoitar minguados votos que lhe levem à Câmara Municipal a graça AMB Júnior...

E adeus, até mais ver, a não ser que os fados...

Paro, dou um tempo de olvido a Augusto Magalhães Braga, não que ele o mereça, as suas peripécias são diversas para que, tão de repente, ele saia de fininho das páginas desta *prosopopeia* — assim, de *prosopopeia*, vale relembrar, classificou o meu escrito o percuciente leitor, talvez querendo minguar ainda mais a sua já minguada relevância literária, justo ele, que foi a Todavia desentocar o Braga mencionado e outros meus concidadãos atrás de um passado que, para mim, passado foi, fodeu, meu passado, firmo, é o futuro, por mais sombrio que ele se me prenuncie! —, então, o AMB foi ali, volta já, convém esperar, vamos tocar o bonde pelos trilhos que me levam àqueloutras figuras por ele citadas, vê lá se hei de deixar a boiar na ignorância leitor tão proativo e curioso? Sigamos, pois, na decrescente cronologia narrativa a que, só de birra, me imponho, de sorte que quem aqui deu as caras, pelas mãos do abelhudo em lide, de por último, na volta do anzol o fará por primeiro, aqui, pelo menos aqui, nesta prosa pigmeia, os do fim da fila vão para o princípio dela, e vice-versa, sem que nenhum dos que porventura estejam no rosário de humanos que estou a debulhar pergunte que porra

Fernando Vîta

é essa, vigio para que personagens e leitor deitem e rolem no que obro desde que não esperneiem — o *jus sperniandi* não vige em minha lei —, vamos, já é chegado o tempo, ao rábula Urânio Mendes, o *factótum* de O Palládio, justo a ele, a quem solicitei que socasse no cu uma vassoura que queria que eu transmutasse em caneta de escrever com tinta de água no chão do seu jornal e um subangado esfregão em mata-borrão, que vá o rábula matar o Diabo!

Um vero *lombrosiano*, o elemento Urânio, na mais completa tradução do enunciado do italiano Cesare Lombroso em *L'uomo delinquente*, isso lá pelos tempos de dom corno — 1874 e lá vai fumaça! —, pense em um inútil desperdício de porra paterna e de óvulos maternos e eis aí o rábula em complacente e piedosa versão, e já me apresso em fazer o mesmo que fez o panfletário Amabílio Monteiro Opobre para esculachar em panfleto o Augusto Braga, pongo de novo em outro italiano das letras, o finado Luigi Pirandello, em *O falecido Mattia Pascal*, que nos perdoe — ao Amabílio e a mim — se abusamos da sua bondade, *maestro* Luigi, trazendo a Todavia as suas luzes para aclarar melhor os caracteres de alguns lá paridos, por tão próximos serem do seu agatunado personagem Batta Malagna, e ao Urânio elas alumiam na voltagem exata:

> *"Todo ele escorregava: escorregavam-lhe pela carranca comprida, de um lado e do outro, as sobrancelhas e os olhos; escorregava-lhe o nariz sobre o bigode ridículo e sobre a pera; escorregavam-lhe os ombros sobre o pescoço; escorregava-lhe o bandulho flácido, enorme, quase até o chão, porque, dada a proeminência deste sobre as perninhas atarracadas, o alfaiate, para lhe cobrir aquelas perninhas, via-se obrigado a cortar-lhe largas calças; de modo que, ao longe, parecia,*

República dos Mentecaptos

pelo contrário, que trazia um vestido comprido e que a barriga lhe chegava ao chão".

E não era à toa que o comunista Quito Alfaiate — e em muito pouquinha hora também a ele chegaremos — pilheriava: "Coser calças para o Urânio é bem penoso, mais difícil que bater bronha na intenção de freira". Pois bem, se todos os defeitos do Mendes fossem esses tais, unicamente estéticos, menos mal, um mal-ajambrado a mais em Todavia, tão somente e de somenos, não padecesse o paciente da mais absoluta falta de caráter, estrela sem brilho, analfabeto de berço, o pai — de quem herdou o nome — um notável intelectual, o filho, incapaz de fazer um *o* com um copo! Como rábula de porta de cadeia, fiasco ainda maior, certa vez ao defender um reles ladrão de galinhas a soldo de míseros trocados, o fez de modo tão destrambelhado, que levou o juiz da comarca, o nunca sóbrio doutor José Efraim, um amante contumaz de litros, copos e putas — não necessariamente nessa ordem — a sapecar uma pena em anos de cadeia por demais rigorosa para alguém que tão somente amava as penosas de outrem, cuidando em especificar na percuciente e didática dosimetria que, tais tantos anos deviam-se ao roubo em si mesmo, tais tantos outros, pelo desvario de ter o só agora apenado meliante contratado Urânio como patrono de tão singela demanda, o gatuno pé de chulé ficou tão puto que, no fórum mesmo, desferiu um par de bofetadas no rábula, foi um vexame — conta quem viu —, mas vexame maior foi o filho do respeitado velho Mendes pai ter dado um tiro de garrucha num desvalido limpador de fossas sépticas, este, ao deixar em estado de novas a cloaca onde aquele descomia e a subsequente fossa que armazenava as suas merdas, prestimoso e humilde lhe apresentou os custos da tarefa em parcos tostões

Fernando Vîta

com um tudo em ordem, seu Urânio, aí o rábula enfureceu-se, queria ser tratado de *doutor* e não de *seu*, vejam com que tipo de energúmeno estamos a tratar, então economizemos tinta, tempo e papel, não os achamos no lixo, ponhamos no limbo dos tempos, pois, o próprio Urânio Mendes, e pulemos para o assim conhecido Quito Alfaiate, não, antes e por último vale registrar que no quiproquó em que sopapos foram aplicados a mancheias na fachada do constituído por seu inconformado constituinte, estranhou-se que penas de galináceos não tivessem voado aos ares, já que Urânio era membro da Ação Integralista Brasileira, galinha verde, faz favor, anauê!

E posto que integralista público e juramentado, óbvio que para o comunista Quito Alfaiate o rábula Urânio não era bicho que se criasse em casa, não era santo que se cultuasse em seu altar — e você, açodado leitor, se não o notou quando em casa do alfaiate esteve, em Todavia, talvez pela pressa em de lá se mandar certamente atento não foi —, Quito, a despeito dos ditames da rígida doutrina partidária, tinha em casa um pequeno nicho de jacarandá verdadeiro com os beatificados de sua devoção — Cosme e Damião e Doum, Santa Rita dos Impossíveis, São Jorge Guerreiro, além de Lênin e Oxóssi Caçador, entre eles, em sadia convivência — tergiversava quanto ao dogma de que a religião era o ópio do povo, até às missas e procissões Quito fervorosamente comparecia, para o rábula camisa verde é que não havia complacência, tolerância, brigavam que só gato e cachorro, não obstante lhe costurar as calças e paletós com esmero, mesmo sendo difícil o ofício de embalar em brins e linhos o corpanzil do Mendes de *O Palládio*, isso já vimos, pela sua *pirandelliana* e mal moldada geografia corpórea, melhor e de forma definitiva traduz-se o desapreço mútuo a forma como o jornal do integralista reportou a prisão do comunista, um dos

República dos Mentecaptos

primeiros a serem trazidos em ferros de Todavia para os porões da ditadura, na Cidade da Bahia, logo o primeiro de abril de mil novecentos e sessenta e quatro viu o golpe militar prosperar, não pôs fotografia na primeira página da folha impressa por carência de um clichê com a cara de Quito, mas escreveu que a prisão do seu fidedigno algibebe era coisa pouca para um traidor, como ele, dos princípios cristãos e democráticos do Brasil, da Bahia, e dentro de ambos, de Todavia, aí sim, ao dela tratar em seu escrito, Urânio foi pródigo em ressaltar os prolegômenos do Deus, Pátria e Família, tão caros aos integralistas, que permeavam seus ares e lares, passadas algumas semanas da ditadura estreante ele não escreveu em letras de forma, mas espalhou pelos quatro cantos da cidade, que Quito Comunista até por detrás estava levando, dia e noite a tomar no rabo, para delatar os nomes de eventuais outros *vermelhos* de Todavia, Quito não os nominou, em tal fim de mundo outros tais não havia a apontar, e por ter pouco a contar, logo que retornou a Todavia em desfrute de liberdade vigiada, desforrou-se como o usual expropriador das galinhas alheias, cuidou de passar a porra em Urânio, não houvesse quem o segurasse pouco hoje restaria por inteiro do Urânio e do Mendes, ainda assim continuou a coser-lhes os fatos, e a ir às missas e procissões, sem falar do supimpa caruru de devoção que oferecia aos santos gêmeos a cada vinte e sete de setembro, chovesse ou fizesse sol, a opípara comilança estava garantida, para sete meninos pobres e mais uma cambulhada de adultos a fim de comida de preceito, não, mil vezes não, Quito jurou por todos os seus santos de guarda — Lênin e Oxóssi Caçador inclusos — que tapas e bicudas dos samangos até que ele levou enquanto no cárcere, trolha no fiofó, ah, isso não, meu senhor!

No rol dos meus incontáveis defeitos — sim, eles são muitos e diversos. Impor, sem pejo, a desavisados como você, leituras pretensamente romanescas como esta é apenas um deles, não o maior! — não consta o da ingratidão, portanto nada mais justo e próprio que, penhorado, apresse-me em agradecer ao percuciente, curioso, denodado, paciente, determinado — e mil outros adjetivos qualificativos tivesse o português falado e escrito em todos os portugais do mundo e eu os aporia com bom grado! — leitor, que saiu dos seus cuidados e afazeres, mesmo que sejam estes minguados, para rebuscar em Todavia o meu passado, mas a gratidão não pode servir de *habeas corpus* para deixar-me folga em não lhe colar à testeira ou à caixa dos peitos um dos que do meu rol de humanas imperfeições não consta, que é o de ser açodado, como açodado o foi o nobre leitor em sua missão, não o fora e, com certeza, não lhe teria passado à revelia a existência de um nicho de jacarandá apinhado de santos — da Igreja, do Candomblé e da História — em recanto não tão resguardado assim da casa de morada de Quito Comunista, se falha grave esta não foi, o mesmo não me permito dizer de

Fernando Vîta

algumas outras que registro — e tento amenizar — na oitiva e no resultante relato da sua conversa com — e uso, nobilíssimo leitor, sua pouco ortodoxa e desabusada forma de nomear e sobrenomear pessoas — *de Evaristo, Elsinho*, tenente-coronel da reserva da PM do estado de Sergipe —, a começar por achar fora dos conformes um paisano tratar um fardado, ainda que não coronel fechado e, portanto, desparamentado das divisas e alamares que só os terá na farda — de gala, notadamente — quando apartado, por merecimento, bravura ou compadrio, o tenente do coronel, ainda assim tratar por *Elsinho* um Elson que é tenente-coronel, mesmo que da reserva, me parece um pouco de intimidade demais — saiba que quando abunda a intimidade, ela ou vira inimizade ou gera filho —, eis porque cuido em qualificar o oficial da gloriosa Polícia Militar do estado de Sergipe com todos os rapapés que sua posição o exige, tenente-coronel Elson das Mercês, se ele é filho de Evaristo, ou de Antônio, ou de Porfírio ou de Apolônio ou de Gorgônio não vem ao caso, é como tenente-coronel Elson das Mercês que o tratarei, pouco apuro que nem coronel fechado ele seja — e jamais o será, já caiu na reserva, compulsória, mas remunerada — na ansiosa busca de trazer a esta mal-amanhada escritura algumas pitadas sobre o assim tratado concurso de punhetas já objeto de comento, até porque, ao fim e ao cabo, sobro muito mal no enredo traçado pelo aludido militar, e anotado pelo civil leitor, como um punheteiro zé mané, autor de bronha sem fim, sem gozo e sem jato, apresso-me em aclarar os fatos como eles se deram.

E começo por iluminar um pouco mais o seu entendimento, audaz leitor, sobre o tenente-coronel Elson das Mercês, notoriamente sobre a sua rápida e inesperada ascensão de juiz de certame de punhetas em Todavia a galhardeado oficial da

República dos Mentecaptos

polícia militar em Sergipe, e já antecipo que não o foi pelas mercês do sobrenome e nem as do reconhecimento aos serviços prestados em breve tempo de farda à digna corporação, teve pistolão, jeitinho, empurrãozinho no meio, não as mercês do merecimento, vez que mal levado de Todavia para Aracaju por um frade jesuíta pregador, que em Santa Missão na nossa terra empolgou de católicos a protestantes, de testemunhas de Jeová a ateus juramentados, com as retumbantes prédicas que impôs sobre os feitos milagrosos da nossa padroeira Santa Rita dos Impossíveis, esse mesmo frei, de nome Tobias das Dádivas de Cristo, entre um sermão e outro se encantou por este Elsinho de Evaristo, que daqui com ele partiu, em reconhecida situação de perrengue, arrastando a cachorrinha, como diz o vulgo, e pouco tempo depois, em volta ansiada a rever parentes, amigos e fanfarronar, já fardado se apresentava nas funções de cabo, nem na de soldado raso ou praça de ré era, de cabo a major foi sem ao menos sargentear, e de major a tenente-coronel voou rápido sem pousar nos ombros as insígnias de tenente, se ao Olimpo de coronel fechado não chegou, o foi por ser o meu amigo de infância muito acomodado, pouco afeito à labuta desde menino, e mesmo levando vida de nababo na Polícia Militar de Sergipe, aonde o frade em tempos idos sentara praça no posto de capelão militar, achou de melhor alvitre o fazer dispendendo seu soldo generoso em Todavia, saibam todos que os nossos nativos odeiam trocar de ares, Paris, Londres, Pilão Arcado ou Quixabeira que os esperem em vão, esperarão por todo o sempre, amém, amém também ao frade capelão pregador, que viu com os próprios olhos em Elson das Mercês tão descomunal talento para a farda, e deu no que deu, não me inquiram sobre o quão descomunal era o talento de Elsinho de Evaristo para a caserna, procurem frei Tobias, suponho que ele saiba...

Fernando Vîta

Apago as luzes sobre Elsinho de Evaristo e sua fantástica e meteórica passagem por Sergipe e as acendo, de volta, sobre a disputa entre batedores de punheta que ele mediou em Todavia, nos fundos do salão paroquial, de logo aclarando que o resultado proclamado não foi pacífico e harmoniosamente aceito pelos contendores, principalmente porque um deles, Esmeraldo de dona Maninha, que trazia, de nascença, no falo, uma leve curvatura à esquerda, isso, em vez de apontar, reto e solene, para frente, o pau de Esmeraldo tinha o cabeço virado à esquerda, tipo um bumerangue, como algo dessa banda o interessasse mais espiar que ao que à frente existia, de forma que quando urinava, Mero — assim o tratávamos todos — tinha que malabarear com a taca para não mijar em quem ao seu lado esquerdo se encontrasse, porfia de muita dificuldade lhe era também acertar o alvo no centro da sentina ou do penico sem molhar as redondezas, então, esse Esmeraldo da taca torta não aceitou de bom grado a vitória de Domingão da Maria Preta por considerar que o julgador Elsinho, se criterioso fosse, haveria de considerar a curva quase helicoidal que o seu jato de porra fez à esquerda como valiosos centímetros a serem computados a mais na sua performance, de maneira que ele ficou de vice na porfia, até hoje se discute se, reta fosse a sua pica como sói acontecer com a quase absoluta maioria das picas do mundo, o laureado vencedor não teria sido Esmeraldo de dona Maninha e não o proclamado Domingão.

Quanto à minha desastrada participação em tão singelo concurso, pouco me resta dizer sobre o que de fato se passou, pois — e eu não sou de mentir, acreditem! — nada se passou de extraordinário para provocar o meu retumbante fiasco, o que passaram mesmo pela minha concentrada mente foram lembranças pouco úteis e valiosas a quem, como eu, buscava,

Mentecaptos

com aplicado espírito esportivo, eróticas inspirações para o maior sucesso da bronha: a minha mãe a bater com os nós dos dedos à porta do banheiro a cobrar-me pressa — morreu aí dentro, Fernando? — tantas eram as horas eternas do meu banho vespertino sem fim; o olhar severo, repreensivo e repressivo da minha primeira professora, a bela Margarete, ao flagrar-me com um espelhinho de bolso, preso ao peito do pé direito, a espionar o que de bonito estava proibido aos nossos olhos, por baixo da sua rodada saia de fustão floral; as inquisitoriais perguntas do monsenhor Giuseppe Galvani, às confissões dominicais, sobre se eu me masturbava, quantas vezes — e até onde o fazia! — por hora, dia, semana, mês; se na tarefa de aplicado discípulo de Onan pensava em gente, bicho ou me valia de revistas de mulher nua; se eu não sabia que a minha inteligência apequenava-se ainda mais a cada punheta que eu batia; se eu estava ciente dos riscos de demência precoce ou tuberculose futura e outras assombrações pesarosas desse tipo, de maneira que, quando estou eu na minha luta para chegar ao céu do prazer, eis que passa pela minha memória, rebelde e sem freios, a atropelar todas as ginas lollobrígidas nuas que eu imaginasse desfrutar em banhos no Rio da Dona ou em touceiras de capim colonião de verdejantes pastos de ovelhas — a Gina dos meus delírios, belos olhos lollobrígidos semicerrados, a balir como uma delas! —, a santa figura da madre Maria do Rosário, uma freirinha toda encorujadinha, em seus surrados hábitos de irmã em Cristo, ela e eles beirando quase os cem anos de vida, aí que é de pôr termo à punheta? Que é de gozar? Que é de jato de porra? Se por vencido não me desse eu próprio, na minha desdita, até hoje estaria a descabelar, em vão, o meu pau e a minha mão boa de bronha, justo a direita — não sou canhoto nem ambidestro — e nela traria

Fernando Vîta

até os dias de agora calos memoriais que mais dignos estariam em palmas de um tarefeiro rural da enxada, de um jornaleiro das foices dos canaviais, de um marreteiro das pedreiras, de um calceteiro das calçadas portuguesas ou de um marinheiro que viva a puxar, de proa a popa, os cabrestantes, cordames e grossos cabos, nas amarrações aos molhes dos portos, nas chegadas e partidas das embarcações de todos os mares e de todas as velas e de todos os remansos.

— E quanto à sua inépcia, por baixinho e parrudo, no manejo dos idílios amorosos com as jumentas de Ernesto Surdo? — haverá você de indagar-me, meu exigente e expedito leitor, crente de que irá flagrar-me em delito de lesa informação, como fora eu o cometer, já estando a arcar com o de abuso sexual de incapaz, se é que jegues e jumentas, capazes de industriar tantas artes nesse departamento das saliências da carne, como incapazes possam ser enquadrados por qualquer tábula de leis. Não, jamais o prazer desse flagrante delito eu lhe haverei de conceder, leitor, insista, não desista, blefe, pague para ver e frustre-se, eis o que ocorreu nesse particular em tão má hora feito público pelo tenente-coronel Elson das Mercês, que à mercê de Deus vivo ainda está para não me deixar mentir, e o ocorrido foi que certo fim de tarde, estando a *súcia* — como nos adjetivava o Surdo — a comer uma sua jeguinha muito da jeitosa nos maneios dos quartos, e em estando eu, por menor em altura e carente de ajuda de outro moleque para o usufruto da fornicação, em posto de último na fila da saliência, coube-me, calhou-me — desgraças de todas as desgraças, azar de todos os azares! — estar empencado, encarquilhado nos baixios da *animália* — no falar de quartel do tenente-coronel da PM de Sergipe — justo quando a tal animália, talvez já exausta e fulosada de tanta fofação, de tanto entra e sai de piroca de menino nas suas intimidades, decidiu verter água e defecar em simultâneo com o meu enlevo, de forma que ao chegar em casa, com as calças curtas da farda do colégio em petição de miséria, a exalar sufocante almíscar de mijo e merda asininos, fui submetido a rigoroso inquérito, em que, palmatória à mão, a professora Zita de Edvaldo me levou a delatar em detalhes todos os pormenores da chibança, aí sobrou para Elsinho de Evaristo, então um desfardado, por de nós ser o de maior idade, e por ser também o que, por uma questão pura e simples de estatura corporal, me elevava aos ombros como se fosse uma escada ou um tamborete e me botava na proa da xota almejada, coitado dele, foi chamado às falas pela minha mãe, disse-lhe poucas e boas a dona Zita, quase lhe vai às fuças em tabefes, foi um fuzuê dos pecados, juntou gente para o quieta com isso, eis porque — só agora confesso — meus pais nem se incomodaram tanto quando dei as costas a Todavia, essas paixões tão espúrias mas vulgares sendo apenas uma das muitas causas, entrementes, não a única.

Noto que você, leitor, — agora já tão à vontade na minha trama que já o tenho nela como se um imprescindível personagem fosse! — é dono de faro investigativo tão apurado que não se daria mal em profissões em que essas habilidades perdigueiras são de extrema valia, tais como detetive — seja de polícia ou particular —, ginecologista, proctologista, secreta, alcaguete de chefatura, cientista de laboratório — dos mais simples, que analisam merda, aos de mais ambiciosos e intrincados voos —, inspetor de quarteirão e até mesmo repórter de jornal, noto, dizia, que em Todavia foi a sua pessoa quase que tirar do túmulo uma criatura meio que broca e variada da memória, estou a referir a Ernesto Surdo, só mesmo você, meu providencial perdigueiro de passados, para fazer falar o Ernesto — e principalmente por ele se fazer ouvir. Hoje, o velho está ainda mais surdo que uma porta e mais boateiro que um verdureiro de esquina, já um macróbio de muitas velas apagadas e poucas restantes a apagar! — que nos tempos idos em que aliviávamos o pomar do seu sítio de alguns araçás, siriguelas, oitis, cajás, mangas e, em simultâneo, nos

Fernando Vîta

aliviávamos igualmente em seus bichos, pois bem, louvo o seu jeito de ir chegando aos cantos mais preservados do que eu conto assim muito à sorrelfa, feito visita que em casa alheia em casa própria se sente, uma mansarda do Algarves, ou da Toscana, ou do Cariri do Ceará, ou uma simplória isbá das estepes russas fosse esse livro e vossa excelência, leitor, nela estaria a solfejar árias em robe de chambre e pés em pantufas, a sorver goles generosos de torigas e barolos, ou a degustar baião de dois com garapa de cana, ou a beber vodca, tudo na dependência de em qual das paragens supracitadas houvesse por bem o folgazão em acampar, de sorte que também me deixe à vontade, mesmo que não em mansardas ou isbás, para contrapor-lhe, sem cerimônias, minhas verdades, eu as tenho mais verdadeiras que as suas, que as ouviu por ouvir dizer por fulano *a*, *b* ou *c*, e um dos *b*, *c* ou *a* qual fulano foi justamente o surdo Ernesto.

Sem tergiversas palavras, a birra do rural morgado, mouco dos dois ouvidos, com a assim dita súcia urbana de moleques à qual me integrava, deu-se muito menos por umas poucas grosas de frutas tropicais subtraídas dos seus alqueires, muito menos ainda por nos ter flagrado — ele, aos berros e impropérios, espingarda à mão; nós a ciciar de gozo sonoramente com línguas e lábios como se estivéssemos em tarefa de chupar roletes de cana — a fornicar com suas criações, não, não está aí o busílis da encrenca, esse, explico, teve uma justificação redundantemente menor, uma anã de graça Judite, por nós anarquicamente chamada de *Juditão*, que era cria de Ernesto desde berço, e que ele, viúvo e solitário, de quando em vez dava-se à prática de cobri-la biblicamente, não fora o Surdo um reconhecido gala rala, que nunca dantes gerara filhos, e Todavia estaria prenhe de uma prole de anõezinhos, talvez aí a comuna até encontrasse razões

República dos Mentecaptos

para inserir-se no contexto da economia global, exportando para circos e mafuás mambembes de praças de feiras de todo o planeta os liliputianos gnomos e tampinhas da produção de Ernesto, mas o busílis, e volto a ele, deu-se porque certo pôr de sol fusco, como fusco havia sido todo o dia, estávamos já em retirada da nossa farra de frutas e jumentas, quando vimos um par de perninhas minúsculas, como se fossem de uma artesanal boneca de pano, a mexer-se em ritmo frenético por trás de uma touceira de bambu, aí registramos um flagrante deveras valioso, estava lá o velho Ernesto a cruzar com a anã Judite, ele por baixo e com as perninhas fininhas de ancião magrela, dobradas, ela por cima, quase sem ter pernas a dobrar, o escarcéu que o par de amantes provocava nas folhagens e a algazarra sem termo, própria dos que estão a se acasalar, aditados à absoluta inutilidade para ouvir dos dois ouvidos de Ernesto toldou a nossa chegada, daí que quando o velho deu por conta o caso estava perdido, não houve margem para pousar desculpas, de lá para cá Ernesto queria meia com o cão, com a súcia não, eis aí a epifania, a gênese mesmo de tanta raiva, nada a ver com siriguelas, mangas, oitis e cajás colhidos de altos galhos a pedra e vara nem com menino abilolado cruzando com bicho como se fossem dois animais — era por demais vasta a frutaria e largo o rebanho —, está aí a verdade reposta, continue, caríssimo leitor, a entrar neste enredo como se estivesse a adentrar em sua casa, mesmo que ele não tenha o escopo literário de uma mansarda nem a singeleza de uma isbá de estepe russa, quem dera o tivesse!, não passa de uma miserável choupana de letras, irresistente ao mais leve sopro de um reles crítico de província!

Aplaudo que à prosa tenha o preclaro igualmente trazido o doutor Fonseca, o médico de prenomes José e Antônio, mas sobre o que ele narra posso pouco confirmar ou denegar, estava

Fernando Vîta

no sucedido a ser parido em situação desconfortabilíssima, notadamente para a parideira minha mãe, vê lá se é pouca treita botar no mundo, por canais estreitos — ainda que já alargados por duas outras barrigadas anteriores — um buguelo cabeçorra, pesando mais que cinco quilos desses bem pesados, as fotos esmaecidas que me restam guardadas confirmam o testemunho, daí que sobre o que ele viu e contou da minha chegada à luz, nada a declarar, atesto, no entanto, que várias vezes, em natais ou são joões, tracei as ruas de Todavia sobraçando perus, queijos, quartas de amendoim ou mãos de milho verde para alegrar os folguedos do aludido facultativo, era a gratidão do meu pai materializada em mimos por ele ter salvado da morte mãe e filho, mas não necessariamente era a minha, que se pudesse optar por nascer em Todavia ou já vir ao mundo natimorto, cravaria a segunda hipótese sem titubeio, Fonseca, então, me deve essa, como também, no capítulo dos débitos, era muito dado a atrasar os aluguéis da casa que locava a Osvaldo Sapateiro, o fazendo mais por uma questão de pirraça do que por falta de numerário, o médico era um pícaro de primeira, e como cismava que o senhorio lhe cobrava mais que o merecido pelo bangalô modesto que ocupava com a família ainda em embrião, vingava-se dele sendo lerdo no mandar-lhe os alugueres, o que resultou numa querela sem tréguas entre os dois, o Sapateiro espalhava cartazes pelas paredes dos muros das ruas que o médico usava caminhar em demanda dos seus clientes, em que jocosamente apelidava Fonseca de *Doutor Botão*, justificando tal credencial ao fato de, a exemplo dos botões que fecham as nossas camisas e braguilhas, também o médico de anel no dedo ocupava casa sem pagar, vejam que chiste mais chistoso, Fonseca ria de morrer, Osvaldo enfurecia-se mais ainda, assim às turras sempre viveram, locatário e senhorio, até que Fonseca, já

Mentecaptos

brancas as cãs, foi sossegar em Cacha Pregos, deveras cansado de diagnosticar todas as muitas e várias doenças dos de Todavia, notadamente as que afetavam o juízo dos nossos incontáveis doidos mansos, aqueles ainda não no topo da doidice, e que, antes de serem mandados em camisas de força de sete varas para um dos hospícios da Cidade da Bahia, se haviam em paz com as mezinhas apaziguadoras do doutor, ficavam a falar sozinhos pelas ruas ou a cometer outras iguais bizarrices, como catar bagas de cigarro no chão ou olhar o ermo no infinito com cara de pasmo, mas nada que beirasse as loucuras mais loucas, próprias dos abilolados de alto coturno, como queimar dinheiro e comer cocô, já que jogar pedra era pecado perdoado aos nossos muitos mentecaptos, e até mesmo a alguns dos raros naturais tidos por normais. E entre os tais, atire a primeira aquele que nunca sofreu por amor, só para estancar no exemplo da canção de Ataulfo...

E a primeira pedra não a atiraria a doce sóror da Anunciação da Virgem Soberana — ah como sofreu por amor a meiga freirinha! — que guiou com ternura e não disfarçado enlevo os meus dedos aos vestibulares *ASDFGs* e *ÇLKJHs* do teclado de uma velha *Remington Rand*, quando poderia muito bem ter sido mais complacente e ousado os guiar a outros recônditos mais humanos e sensíveis do seu esbelto corpo torneado, tingido, a pinceladas divinas, por pele de tez caramelo só encontradiça nessa gente brejeira, bem mais índia que mulata, que nem os pesados hábitos de vestir mercedários conseguiam obliterar, furtar aos olhos das ruas e dos povos, não, aquele jeito de Capitu de convento, sonso e cúmplice, da jovem freirinha, eu jamais haverei de esquecer, teria, juro, tido outra sorte naquela prosaica disputa entre punheteiros se, em vez de ter invadido o meu lúbrico pensar inspirador, atochado de ginas lollobrígidas, a carcomida madre Rosário, em seu lugar o fizesse a sóror da Anunciação, garanto, não ia ter quem me suplantasse em gozo e propulsão de jato de porra, mas, que jeito, bronhas passadas não movem moinhos, punhetas idas, punhetas mortas, nessa, como em todas as práticas esportivas conhecidas desde que os gregos inventaram os jogos, tanto vale competir quanto vencer, tornemos, já, aos sofreres da paixão da minha inolvidável professora da Escola de Dactilografia e Mecanografia Nossa Senhora das Mercês, aí eu vi uma alma penar por amor, na solidão da fria clausura, naquela dúvida angustiante e atroz entre o amar só a Cristo ou amar simplesmente e simplesmente amar, amar, mesmo que por amor sofresse e desse jeito se paramentasse a não ter que atirar a primeira pedra, tão pedra e pesada em seu significar lírico ao ato de atirá-la, na poética de Ataulfo Alves, de Miraí, este mais negro que mulato inzoneiro que a irmã em Cristo das minhas saudades, deixe, agora, que eu passeie um pouco pelos amores proibidos de Anunciação, ela, a sóror, só os entregava em confiança a mim — fizera-me um seu moleque de recados — em envelopes cheios de mistérios, algo mais que um menino, rapazinho ainda em projeto, eu.

Diziam os de língua comprida, amantes das artes do leva e traz — e como eles prosperam como praga de erva daninha em Todavia! — que havia sido monsenhor Galvani quem teria trazido a então já apreciada e deveras desejada adolescente Maria do Carmo dos arredores distritais de Santana do Rio da Dona para o convento das irmãs Mercedárias, em Todavia, onde lhe fez assentar pouso como noviça — e só aí ela virou Anunciação; sóror no grau de freira e os penduricalhos adicionais do da Virgem Soberana só lhe chegaram ao nome após receber as ordens e os hábitos sacros — não sem antes cuidar de confiscar, o nosso pároco, a sua virgindade — tinha a moça dezessete anos —, defensor, o prelado, da tese de que, se a Jesus Cristo deveria ser legado tão doce pitéu, por que não o vir a desfrutá-lo ele próprio, o monsenhor, em sendo o seu representante em terra? Assim se deu, monsenhor Galvani virou seu devedor, e a paga foi

República dos Mentecaptos

enclausurá-la num convento decadente, apinhado de freirinhas peidorreiras, sem nem ao menos consultar a graciosa menina se de fato era o que ela queria na vida, de sorte que nessas idas e vindas das aulas que a mim ministrava como professora na escola de datilografia, mantida pelas Mercedárias, às que escutava, como aluna, na escola normal das mesmas irmãs em Cristo, sóror da Anunciação caiu de amores por um seu professor de gramática, prenome Ariosto, moço pudico e bom, que fora das horas de aula trabalhava como caixeiro na padaria de seu Edvaldo, meu pai, cabe lembrar, cabendo a mim, por proximidade e confiança, ser o portador juramentado dos bilhetinhos cheios de *eu te amo* que a sóror mandava ao gajo que lhe abastecia de regras de próclises, ênclises, mesóclises e muito mais, disfarçando-os, em envelopes bem lacrados, como se fossem santinhos, orações jaculatórias, ladainhas, deveres de colégio, não contando ela com a minha natural bisbilhotice juvenil, e certa vez, ao sentir na encomenda a ser entregue ao guapo Ariosto um agradável cheiro de *Cashmere Bouquet* — perfume de grande aceitação à época entre apaixonados de modo geral — decidi, curioso, abrir a correspondência e dei de cara com enlevados e apimentados enredos caligráficos, dignos de uma rediviva madame Bovary, não os aqui detalho porque, mesmo em sendo de Todavia, entre os seus leva e trazes, por favor, não me inclua dentro, não, nunca nada contei a senhor ninguém, guardei sigilo como se língua não tivesse, fiquei na moita, acomodado, à espera que a graça da recompensa por serviços de correio prestados à freirinha a mim chegasse de mão beijada, não, nunca chegou, e o diminuto senso de bons costumes, moral, ética, essas coisas, a mim passadas pela professora Zita, mais à força da palmatória que do convencimento ele mesmo, evitou que eu fizesse o que tantos faziam entre os nossos, ameaçar a criatura envolvida

Fernando Vîta

em tais façanhas do dar e do receber do amor clandestino de espalhar ao mundo suas travessuras, a não ser que, por que não, tudo se aplainasse num conchavo, num arreglo entre as partes, você me dá um pouquinho, sóror da Anunciação, e eu, caluda, não conto nada para ninguém, vou ao túmulo com seu — já nosso, então! — segredo, assim deu-se, morreram os meus desejos por sóror Anunciação no ai se eu fosse Ariosto, ai se eu pudesse, ai se ela me desse nem que fosse um tiquinho, ficou só nisso mesmo e no jeitinho jeitoso de ela guiar os meus dedinhos de aprendiz de datilógrafo, não fora a minha mão direita tão hábil e a minha imaginação tão fértil em desnudar dos seus hábitos seculares o pitéu do Carmo que o monsenhor Galvani provara — e creio, aprovara — por primeiro, a graça que eu teimava em esperar alcançar sentado, sem pedir ou implorar aos pés de sóror da Anunciação da Virgem Soberana, sem o uso da minha mão jamais seria alcançada, (e Deus que lhe pague, Onan!), o que sei é que tempos passados a irmã em Cristo mandou Cristo e o professor Ariosto catar coquinhos e amigou-se com um tabelião de cartório de feitos civis, que lhe fez teúda e manteúda, hoje mora em casa de alvenaria, eira, beira e duas águas em Maragogipe, ao o que eu sei é isso, só isso.

E se hoje matraco teclas datilográficas de escrever livros em vez de alisar com dengo e arte aquelas outras de parir sinfonias em pianos ou concertinas, não posso deixar de ser grato a sóror da Anunciação, não entrando, contudo, no mérito de quão maior seria o dano à humanidade, o de ter-me escritor de meia-tigela ou concertista bisonho, e que você, compassivo leitor, julgue-me, mesmo sem jamais me ter ouvido solar um mero dó-ré-mi-fá-sol-lá-si em instrumentos de foles ou de cordas, bom senso e espírito premonitório tiveram o maestro Sóter Barros e a professora Ita de Tonito Pithon, que

República dos
Mentecaptos

unânimes e peremptórios nos seus diagnósticos da minha absoluta incapacidade de tocar qualquer instrumento, ainda que tambores em paradas cívicas ou atabaques em terreiros de umbanda, mandaram-me baixar em outra freguesia, evitaram que eu caísse de amores por Euterpe, embora nada pudessem fazer para impedir que eu utopicamente persista, ainda agora, velho a cair os dentes das gengivas, em perseguir aconchego nos braços de que deus, deusa ou deuses protejam os literatos sem letras, mesmo que desprotejam você, indefeso leitor, os deuses são assim, falíveis, por mau-caráter ou ausência absoluta de, eis a razão de serem tantos no mundo os mequetrefes a brigar com as letrinhas, quase sempre a nocauteá-las, a arriarem-nas às lonas do esquecimento, olhe que ainda é tempo de se dar por farto, fechar essas páginas, mandar-me à puta que me pariu e procurar melhor fazer, e não diga que eu não lhe disse, se lhe convier, saia de fininho, passar bem.

Era menino, mas lembro-me, como se fosse hoje, do dia em que o novo pároco, Giuseppe Galvani, chegou a Todavia para render o já decrépito padre Oliveira, convocado por Deus para atividades mais nobres — ou não — nas terras do além. Foi-se o vigário Oliveira do mesmo jeito que chegou: nada acrescentou de novo às almas cristãs de Todavia e delas também, faça-se justiça, nada tirou, colossal preguiçoso, padre ordenou-se em tenra idade, padre morreu aos quase noventa. Enquanto entre nós viveu, Oliveira limitou-se a rezar uma missa mal-ajambrada a cada dia, a pregar uns poucos sermões sem pé nem cabeça nas festas dos dias de guarda, a peidar de maneira ruidosa nas procissões, a cochilar e roncar no confessionário, não importava o quão interessante fosse o pecado que o cliente estivesse a confessar-lhe. Sempre descurou solenemente dos seus deveres mais comezinhos para com a paróquia e o seu rebanho de pecadores e, já perto de bater as botas, desbussolou, a ponto de inverter o ritual secular das suas missas: não poucas vezes as iniciava pelo *Ite, missa est* e as concluía com o *In nomine Patris, et Filii, et Spiritus Sancti*, que, qualquer ateu sabe, deveria começá-las. Mas que descanse em paz Oliveira, para que melhor possamos mostrar seu sucessor, este Giuseppe, leitor, que tanto — e tão mal — de mim falou quando você esteve em Todavia, creio que se dotado de ínfima partícula do assim conhecido espírito cristão, tão propalado em encíclicas e bulas papais, mais brando teria ele sido em seus achaques às minhas qualidades morais e pessoais, justificar-se-ia o tamanho escarcéu feito por algumas poucas hóstias, míseros goles de vinho de missa e uns poucos mil-réis subtraídos das espórtulas e óbolos paroquiais?

Padre Galvani, hoje monsenhor feito e paramentado, nariz arrebitado, metido a gás com água, mais pomposo do que muito cardeal, mais boçal do que o santo Papa, chegou a Todavia — como diz o vulgo — num miserê de dar pena. Estou vendo o trem parar ali na velha estação, povoada com o que tinha de melhor e de pior dos entre nós, e dele descer o padre recém--ordenado que o senhor bispo diocesano nos mandara para assumir a sua primeira paróquia no Brasil, importado que fora, quase padre, noviço ainda, pela nossa Santa Madre Igreja, lá dos confins da Itália, de Siracusa, Palermo ou Corleone, a gente nunca soube, nem ele nunca nos contou direitinho, para aqui concluir os estudos e receber as ordens, certo é que deve ter vindo da Itália pobre, do Reggio di Calabria ou da Sicília, daquele pedaço do mapa que se parece com a ponta de uma bota, e de onde procede — exceções guardadas — o que de pior a pátria de Michelangelo exporta sob forma de gente para o resto do mundo. Carregava uma valise de couro das mais fuleiras, falava baixo, chamava todo mundo de senhor e senhora, um São Francisco cagado e cuspido, tal a humildade. Só faltava conversar com os pássaros, para mais ainda semelhar ao santo de Assis. E humilde e respeitoso continuou por algum tempo, até que essa gente nativa, ágil em lamber o ovo de qualquer sacana que chega de

Mentecaptos

fora, de tanto encher a bola do novo prelado, o transformou no metido à besta que ele é hoje, e, faça-se justiça, metido à besta já o era, mesmo antes de ser promovido a monsenhor, e foi por essa época que, por apelo do meu pai, ele permitiu-me engrossar o seu batalhão de coroinhas, aí eu já não era tão menino, passarinho engrossando o trinado, beirava os treze anos. Tinha jurisprudência sobre tudo, então e ainda hoje, o nosso cura: escolhe nome para os filhos dos outros, estipula avenças sobre as propriedades alheias, desata demandas, desfaz e reata namoros e casamentos, em resumo, manda naquele pedaço do mundo como se fosse um caudilho, vê se isso tem siso? Boca porca, usa expressões do vulgo como se padre não fosse. Xinga, rexinga, pega os outros em puias e armadilhas profanas, usa palavreado e fraseado mais apropriados a um moleque de ponta de rua e não a um clérigo, não respeita ninguém, só mesmo uma merda de paragem como Todavia para lhe dar abrigo e dispensar tamanha consideração.

 Pois bem, meu leitor, isso assim contado de jeito aligeirado, parece mentira, mas tão taludo o padreco ficou, que a menor que ele aprontou foi mandar demolir, por sua conta e risco, a nossa igreja mais que centenária, construída pelos jesuítas que aqui chegaram por primeiro, para em seu lugar fazer edificar outra mais moderna, estilo "funcional", como ele mesmo dizia em suas prédicas. Não houve um só todaviense que levantasse um pio em contrário, e, em pouco tempo, no lugar onde ficava a nossa igrejinha tão bonitinha, em seu estilo colonial barroco, hoje está uma merda de uma igreja feia demais, um verdadeiro monumento à nossa covardia, um marco indestrutível da nossa nunca tão assaz decantada passividade. E, como se não bastasse ter botado o velho templo ao rés do chão a golpes de tratores e escavadeiras, o sacripanta de batina e paramentos ainda torrou nos cobres, na bacia das almas, todas as imagens seculares e as alfaias de prata e ouro que ornavam seus altares, sacristias e capelas. E sabe o que ele fez com o numerário amealhado? Eu respondo: mandou construir uma casa paroquial cheia de triquetriques e novidades, com não sei quantos quartos de dormir, viveiro de passarinho, chuveiro elétrico e até bidê para lavar o seu — dele — santo cu. E com o troco deu uma de estroina: mandou às favas uma bicicleta velha que usava e adquiriu um auto Volks, zero quilômetro, com rádio e tudo mais. Alega que não pode ir a pé ou em lombo de burro administrar extremas-unções ou rezar missas fora da zona urbana da cidade. Balela, bazófia! O reverendo usa a condução mesmo é para comer gente nas pontas de rua, fornicador experimentado que é, e quem quiser acreditar que padre não trepa, que lhe abra as pernas ou arreie as calças!

Ora, se o neófito de merda, recém-chegado a Todavia, teve colhões para mandar às favas a igreja onde quase todos de lá foram batizados, crismados e casados — e aí não listados outros sacramentos da lei de Deus nela igualmente ministrados, como o da primeira comunhão —, a que mais não se daria ao direito de fazer o senhor monsenhor já feito, ornamentado com anel e solidéu encarnados, no meio de uma gente tão beócia? Pois, monsenhor Galvani, de tão poderoso, só não faz chover, porque necessidade não há. Em Todavia chove todo santo dia, sempre às duas da tarde. Às três e mais um pouquinho, religiosamente, a chuva se vai, volta a fazer um calor da desgraça, até a hora do *Angelus*, quando a noite chega, a quentura não diminui, e as cartas anônimas começam a ser envelopadas e ganham pernas ágeis em demanda ao breu das portas. Ninguém pense que eu quero qualquer tipo de entrevero com o monsenhor. Deus me livre e guarde! Não brigo com quem veste saia, seja padre, mulher

República dos Mentecaptos

ou juiz, porque isso é coisa que não tem a menor serventia. Tanto é que, passados os tempos, tendo a crer que a raiva maior de Giuseppe Galvani por seu denodado aprendiz de sacristão veio menos dos seus furtos e mais da explicação marota que ele lhe deu para o fato de que, a cada dia, menos hóstias, óbolos e espórtulas restassem nos guardados da paróquia, enquanto o nível do vinho na garrafa, estranhamente, misteriosamente, subia sempre alguns centímetros, fruto de o larápio e novel aprendiz de Baco compensar os tragos furtados com um providencial acréscimo de água da bica, daí que, sentindo a beberagem perder fragrância e corpo, o vigário lhe pôs, à força de juras aos pés de Deus, a confessar o delito, o que fez ao seu modo o vivaldino, com pouca valia prática, já que monsenhor Galvani desaceitava que a garrafa de vinho, a cada manhã, aparecesse com mais vinho que o que ele próprio deixara — e registrara com tracinho de lápis no rótulo — à véspera, deu o pároco fim à querela aplicando-lhe um tabefe no rosto quando, com olhar crédulo e mãos postas, o eu, agora já ex-coroinha, atribuí o achado a mais um milagre de Jesus, justamente ao filho de Deus, que em priscas eras tantos outros já perpetrara, inclusive nesse departamento de multiplicar alimentos e bebidas, não creia em mim, faculto a dúvida, mas jamais descreia das sagradas escrituras, veja o que elas registram sobre as bodas de Caná, na Galileia, até hoje tem cético bebendo vinho pelas margens do Jordão, pelas colinas de Jericó e derredores, tal a fartura da água que em puro e encorpado vinho se transmutou, tal o tamanho assombroso do milagre de Cristo, e é por justiça que não omito o santo ao falar do milagre.

Datas veníssimas todas, meu pretensioso escriba, valho-me do aval de lhe ter ajudado a vir à luz, em tenebrosas contingências aqui já detalhadas à exaustão, para, a exemplo do que obrou leitor tão assaz citado e cortejado, também invadir a sua trama, já que nela, exatamente pelas graças do dito leitor, sou parte de somenos, mas não desprezível importância, na qualidade de único médico a habitar Todavia naqueles tempos tão prosaicos, que, ainda agora, estamos juntos, tantos, a prosar sobre eles de tão prosaicos que eram.

Não sairia do meu voluntário resguardo pessoal e profissional na aprazível localidade de Cacha Pregos, na não menos aprazível ilha de Itaparica, onde desfruto de justa e merecida aposentadoria, depois de tantos anos a viver em Todavia e, — como se isso fosse pouco —, a cuidar da saúde de gente tão ordinária, em troca, nas mais das vezes, de regalos em lugar de justos honorários, não sairia do meu resguardo, dizia, se não julgasse fundamentais ao entendimento de todos umas poucas considerações

Fernando Vîta

que tenho a fazer, e aqui não estaria a pedir licença para fazer, optaria por me dar à paz na beira da maré baixa, a catar ostras, chumbinhos, grauçás e aratus, a arrear tarrafa em pesca de pititinga, a tomar cachaça com mil--homens e cambuí, creia que isso me seria de mais valia, mas é em nome da boa prática da medicina, que tanto deve curar os males quanto os prevenir, que às suas páginas me faço presente, sem a pretensão de as transmutar em nossas, ponho limites à minha ousadia, diferentemente do leitor tão falado que, me permita a crítica, abusa da sua franquia e quase já se dá por dono — no mínimo sócio! — da sua escritura, perdoe-me se perdi o ponto de costura desse parágrafo, vamos ao outro, e ao que, de fato, interessa.

Quando médico, ainda recém-formado, assentei as bagagens e a família em Todavia, já tinha o meu CREMEB no buraco do brim do jaleco de doutor, o que não tinha era clientes, mas como Todavia também não tinha médico, deu-se uma sinergia muito simpática, eu carente dos de lá, os de lá carentes de mim, de sorte que em pouco tempo o clínico geral cada dia mais geral passava a ser, tratei de dor de ouvidos a caganeira, de defluxo a gonorreia, de gastrite a hemorroidas, de dor nos quartos a espinhela caída, juro que dei alívio até para dor de corno, mas o que mais me chamou a atenção, mesmo, foi a assombrosa incidência de apalermados de todos os estratos e níveis, indivíduos que se não chegavam ao patamar da loucura absoluta, beiravam as suas fronteiras, de maneira que tais achados conduziram a minha curiosidade científica a pesquisar as causas determinantes para Todavia ter tantos doidos, digo que a isso me dediquei mais por distração que por missão, afianço mesmo que mergulhei no tema para que eu próprio,

República dos Mentecaptos

em pouco tempo, não me desarrazoasse do juízo, tal a merda que era viver naquela terra, tal o despropósito que era — raríssimas exceções — conviver com aquele contingente de abilolados. E por conta dos meus achados, estou aqui, perdoe-me a intromissão, espero não interromper o caminhar do seu roteiro folhetinesco e vulgar, longe de mim.

O primeiro cliente que me procurou em Todavia — um indivíduo de boa aparência, tez rosada, beirando os cinquenta anos, bigode basto e cabeleira rala — atendia pelo nome de Sidenísio, era coletor de impostos municipais e queixava-se de forte enxaqueca. Receitei-lhe compressas térmicas, alguns analgésicos triviais, e em gratidão à sua confiança pioneira, condescendi na cobrança das custas, recusando, entretanto, por todos os meios, a apertar-lhe a mão na despedida, como manda a boa educação, porque, na mais que uma hora que esteve em meu consultório — a sala de visitas da modesta casa de morada que alugara a um encrenqueiro de nome Osvaldo Sapateiro — esse tal Sidenísio alternou momentos em pé e sentado, numa agitação corporal meio estranha, sendo que em ambas as situações introduzia a mão direita pela cintura das calças, ia com ela aos escrotos, enquanto que com a esquerda, invadia o traseiro pelo cós, avançava com o indicador até o ânus e, no retorno de ambas as mãos dessa labiríntica viagem, as cheirava, sofregamente, de sorte que não me restou alternativa a não ser a de sonegar-lhe a despedida final, passar por descortês, a ter que tocar em patas vindas de tais paragens baixas do meu primeiro cliente. Foi o início, não o fim, das minhas constatações, contudo.

Dia outro me aparece um camarada de apelido Geronço da Má Vida, um caboclo baixo, entroncado, barriga proeminente,

Fernando Vîta

de uns sessenta anos visíveis, acometido de gastrite, que além de dar arrotos estrondosos e que empesteavam o ambiente com uma catinga que beirava miasmas de cadáver em decomposição, forçava freneticamente os dois pés contra o piso de tacos encerados e grunhia, com os olhos nos meus olhos, que o mundo estava a afundar e o céu a abaixar, de maneira que em pouco, na queda de braços entre céu e terra, seríamos comprimidos a tal ponto que — e aí ele picou uma tapona de mão aberta numa mosca que pousara em minha escrivaninha de trabalho — iríamos todos, ele e eu inclusos, ficar justo como aquele inseto, uma pasta inerme na terra, e desse Geronço dispensei de bom grado e totalmente os honorários, temente que ele, tão dotado de boa pontaria ao aniquilar a mosca, escolhesse como alvo a minha cara, receitei-lhe uns comprimidos de Pepsamar, bom-dia e passar bem, senhor Geronço.

Como não se lembrar de uma criatura, uma mulher de seus quarenta bem vividos, dona de uma palidez acentuada e de uns olhos de coruja espantada que cintilavam como se fossem duas bolas de aljofre amarelas, dessas que ornam as árvores de Natal? O seu nome era Anita — por uma questão de ética médica, estou a preservar os sobrenomes verdadeiros nesses reportes — e queixava-se de tantas mazelas — da saúde, das gentes, das mentes, dos costumes, do mundo — que de imediato vi-me diante de uma coletânea tão vasta de desconfortos que só a encaminhando a exames laboratoriais prospectivos poderia chegar com segurança aos pródromos dos seus tantos males, e assim o fiz, que ela saísse, coletasse os materiais — fezes e urina, por primeiro — e os levasse a um laboratório de análises clínicas precário, que o governo havia montado num posto de puericultura,

República dos
Mentecaptos

muito mais para dar emprego a desocupados municipais que mesmo para analisar mijo e cocô de quem quer que fosse, aí noto que a paciente esforçava-se por enxergar algo ou alguém que estaria à minha retaguarda, e como à minha retaguarda nada mais que uma parede cega havia, achei por bem indagar-lhe a razão da inquieta observação, e ela me responde com outra pergunta: o que é que Ele quer às suas costas? Ele quem, voltei eu a perguntar-lhe. Ele, o Senhor, respondeu-me a dita Anita, com os olhos mais espantados ainda; e eu lhe disse: o senhor é Getúlio Vargas (eu tinha um retrato na parede do Pai dos Pobres, que herdara do meu avô, velho queremista do passado) consciente de que, além de mim e ela, naquela sala, só a foto em preto e branco do caudilho de São Borja nos fazia companhia, mas ela insistia que estava a ver o Senhor Jesus, o Filho do Pai. Para livrar-me de Anita dei-lhe a mão direita, fingi estar a enxergar, mais que Vargas, Jesus Cristo, rezamos, contritos, por uns dez minutos, findos os quais a criatura agradeceu-me com um Deus que lhe pague, pegou a bolsa de camurça cinzenta, ensebada, e se foi, foi-se também o pagamento da consulta, porque, por mais que, em demanda da minha paga, procurasse pelo deus que só ela vira, só conseguia vislumbrar um Getúlio estático na parede, tão estático e incrédulo quanto eu diante daquele salseiro ao mesmo tempo clínico e místico. Soube depois por um desses mexeriqueiros, que em todos os cantos se estabelecem, que o juízo de Anita míara desde que monsenhor Galvani, o nosso pároco, em príscas eras a emprenhara, advindo dessa conjunção carnal mal gerida um absoluto amalucado que de todos é conhecido em Todavia como Toninho do Padre.

Fernando Vîta

Assim, à proporção que o tempo passava, a cada dia aumentava a minha certeza de que Todavia era absurdamente fértil na produção de malucos — e se fosse eu aqui nominá-los, um a um, levaria séculos! — como também prosperava em mim a vontade de buscar as causas para essa abundância, ainda que o fizesse dentro dos restritos limites dos meus conhecimentos dos males do espírito, nunca avancei pelos estudos da psiquiatria nem da psicologia, sou um mero clínico geral que, posto à prova perante tão alentado batalhão de mentecaptos à cata de aliviar seus sofreres, foi aqui e ali receitando uns valiuns e litiuns para uns e outros, adequando a quantidade de bolinhas diárias à volumetria da doidice visível ou apresentada, se não os curei a todos, pelo menos a boa parte deles interditei a compulsória viagem de trem, em camisa de força, de Todavia para os hospícios da capital, cheguei mesmo a conjecturar de reviver na vida real a romanesca figura de um colega, o Dr. Simão Bacamarte, que pelas mãos habilíssimas de Machado virou alienista, abriu hospital de doidos na Itajaí do Rio de Janeiro, no Brasil dos tempos do Império, não lhe persegui os passos, os delírios e os ideais na República, utópico Bacamarte, porque, no caso de Todavia, houvesse babilônica Casa Verde para conter a multidão e nela não caberiam tantos doidos, além do que, quem nasceu para entrar de entrudo em livro de invulgar mediocridade quanto este que por ora habito, quando haveria de àqueloutro, de Machado de Assis, vir a chegar?

Assim — e prometo que, uma vez alinhados de forma pragmática alguns dos meus achados, não científicos, mas observacionais, repito — retirar-me-ei da trama e os deixarei, autor e leitor, em paz, estarei em muito melhor

República dos
Mentecaptos

companhia com os mariscos, as tarrafas e as beberagens de Cacha Pregos, creiam ambos, vamos ao que achei à época e que ainda acho ser o moto-contínuo da incidência de tantos lunáticos em Todavia:

1 – A água que lá se bebe, vinda de fontes promíscuas ou de nascentes poluídas desde sempre, todas elas ricas em vermes, micróbios, protozoários e o que mais a humanidade provê às águas nascentes ou represadas, seja por ignorância ou desleixo.

1.a – Desde que o mundo é mundo que Augusto Magalhães Braga, mandrião de Todavia, promete trazer, encanadas, dos baixios da Serra da Jiboia por onde elas correm plácidas e solenes, até as torneiras e bicas da municipalidade, as águas do Rio da Dona, não sem antes tratá-las a cloro farto e outros químicos, vez que o velho rio, que tantas curvas faz, teimoso, só para não passar por dentro da cidade, também ele é depositário do que não presta, estuário que já é de todas as águas porcas dos esgotos fétidos que os nativos produzem, de sorte que se depender das águas do Rio da Dona e das promessas de Magalhães Braga, que fiquem em paz os nossos malucos, nunca haverá de lhes faltar parceiros parcos de juízo por todo o sempre.

2 – Em Todavia é de uso tão comum acasalarem-se primo com prima, sobrinha com tio, tio com sobrinha e até avó com neto, que essa consanguinidade deletéria pode estar a contribuir para a geração dessa multidão

incomensurável de patrícios desprovidos de tino, isso sem falar em igual batalhão de variados aleijões — pernetas, manetas, coxos, mochos e portadores de outras avarias — que faz prosperar um comércio tão florescente de bengalas, muletas e cadeiras de rodas que até mesmo um verdadeiro rali destas últimas chegou a se empreender, tempos atrás, com uma corrida muito interessante entre os logradouros de São Benedito e Andaiá, umas duas léguas distantes um do outro, com mais de cem participantes, e o vencedor foi um aleijado conhecido como Teiú, nunca, jamais se viu — maneta da mão esquerda e perneta da perna direita — piloto tão hábil no comando de uma cadeira de rodas.

2.a – Friso, por essencial, que esses estropiados da cabeça e dos membros que brotam de tantas e cientificamente inapropriadas conjunções consanguíneas, seguem a toada de seus pais e também se acasalam entre si, daí que a produção deles não periga escassear, muito pelo contrário, cresce em proporção cada dia maior, como também tem incremento na região em estudo, é natural, a venda de cadeiras de rodas, muletas, bengalas e psicotrópicos para melhor deleite da economia local.

3 – Cumpre ainda assinalar um dado bem curioso, não por isso menos científico e estatístico: bebe-se um horror de cachaça em Todavia, proporcional aos tantos hectolitros que dela se produz em seus limites geográficos e arredores (Sururu, Rio Fundo, Orgia,

Mentecaptos

Jesulândia, Má Vida e Dona Boa, para citar apenas algumas das nossas excelentes marcas registradas) enquanto, paradoxalmente, destaco com base em números, que os que em Todavia mais bebem são os que mais juízo têm, veja que interessante, fosse a nossa brasílica caninha vinho francês e a medicina mundial estaria a recomendá-la como inibidora das paranoias mais diversas e na contenção de outros achaques da razão.

3.a — Para mim — e aqui complemento este breve e despretensioso estudo — a melhor delas é a Orgia, feita no alambique de um tal Clomar. Dela muito fiz uso enquanto em Todavia vivi, daí porque até hoje preservo em níveis de sanidade normais o meu juízo, diferentemente do conhecido alambiqueiro Clomar, que a produzia mas não a bebia, não obstante as tantas dornas a transbordar ao seu derredor, e até hoje vive ora a caminhar de costas sem razões aparentes, ora a conversar sozinho sem razões mais aparentes ainda, numa das vezes que o tive como paciente alegou que andar de costas era bom para o coração e que conversar sozinho era de melhor serventia que conversar com um merda como eu. Pagou-me a consulta com duas garrafas de Orgia e saiu em marcha ré na proa não sei de que destino.

PS 1 — Já tinha posto ponto-final nesta carta, envelopada e lacrada ela já estava, inclusive com o selo de remessa simples do Departamento de Correios e Telégrafos grudado,

Fernando Vîta

à base de goma arábica, no quadradinho que fica na parte alta, à direita do envelope, quando me lembrei de um quinteto de tontos que, não obstante nunca terem posto os pés em meu modesto consultório em busca de diagnósticos ou mezinhas, das suas doidices eu tinha ciência pelas narrativas do pai, o meu cabeleireiro Juvenal de Gobi, que me as trazia em detalhes, e às gaitadas, sempre que estava a tosar-me as madeixas. Não lhes particularizarei nem individualizarei as façanhas paranoicas nem comportamentais por serem elas comuns a muitos loucos, daqui e de alhures. Apenas por uma questão de nexo causal, ressalto que a todos os cinco o cabeleireiro Juvenal batizou como prenomes de políticos brasileiros começados pela letra jota: eram eles Juarez, Juracy, Juscelino, Jango e Jânio, nenhum dos meninos deu em coisa que prestasse, o pai atribuía a desdita à escolha dos nomes, vá entender o porquê, verdade é que eu próprio passei a cismar do juízo de Juvenal de Gobi, não só por cravar nos filhos pobretões as graças dos poderosos de então, mas por ele próprio não esconder o orgulho cívico que tinha de serem, todos eles, os seus garotos, burros de fazer dó, mas ágeis batedores de carteira!

PS 2 — A título de mera curiosidade adicional, informo que consegui deslacrar o envelope já subscrito e selado sem grandes percalços e sem a perda do próprio ou da estampilha já afixada, graças à habilidade especial de um cliente e amigo de nome Aureliano das Angélicas, que a utiliza amiúde para bisbilhotar a vida alheia, ao violar correspondências que lhes são dadas em confiança para serem entregues a destinatários diversos, ele que vive

Mentecaptos

de Todavia para Salvador e de Salvador para Todavia a comercializar suas flores, quem sabe essa curiosidade fenomenal de Aureliano não venha a ser, ela própria, uma espécie de psicopatia branda?

Manifesto a minha melhor gratidão ao ilustrado médico Fonseca — agora, vejo, mais que médico um aprumado cientista — pela preciosa contribuição que traz ao meu relato — para ele, *folhetinesco e vulgar,* embora! — sobre as verdadeiras causas de haver tantos doidos, varridos ou não, em Todavia, seria muito lesivo à empreitada não fazê-lo, já que em ele tratando de uma república lotada de mentecaptos, nada mais consentâneo que assentar às suas páginas umas tantas pitadas de pura e descomprometida análise científica de causa e efeito, bem--vindas são, sem dúvida, as deixas do facultativo, que me viu nascer e que ainda disso se vangloria, como se um grande tento fora para a humanidade mais um tolo ter nascido em Todavia, nisso ele bobeia, como por igual bobeia ao propor-se a enredar-me em desnecessário litígio com o leitor, logo eu, que justamente à sua curiosa prospecção sobre o meu remoto passado, caro leitor, tanto credito a andança desse romance, ela não fora uma prospecção tão aguda, e o próprio José Antônio da Fonseca nestas páginas não estaria, como também não estariam a minha primeira professora Margarete nem o Chico, chefe da estação de trem, de quem logo tratarei, culpa não tenho, nem o leitor, se os fados — sempre eles! — em vez de terem levado o doutor às páginas de um livro de Machado o tragam agora ao meu, de *invulgar mediocridade*, como o julga ele próprio, o confesso consumidor de *Orgia* que hoje vive a marear em Cacha Pregos, ainda assim sou-lhe grato, o dia do favor, como pregam, não pode ser a véspera da ingratidão, e com que estoque de lembranças chego à minha primeira professora, lembranças que não as terei tão boas quando for a hora de aviar as linhas do Chico Vita da estrada de ferro, ele, exatamente o primeiro a desprimorar o meu passado, ao dar com a língua nos dentes ante a sua curiosidade, leitor viageiro, logo que você saltou do comboio na estação de Todavia.

 Professora Margarete foi o meu primeiro amor, como soem ser o primeiro amor de todos os meninos que vão às escolas do universo as suas primeiras professoras, não há nada de invulgar no ocorrido, em Todavia não haveria porque ser diverso do resto do mundo, só que num punhado de uns vinte infantes enamorados, eu me autoelegia o mais apaixonado e o mais correspondido no amor da professora, bobo que eu era, por maior que fosse a minha paixão, muito pequeno ainda parecia para merecer tamanha dádiva, quem a merecia mesmo era o carteiro Felisberto, um varapau desengonçado que pedalava uma bicicleta ordinária a entregar cartas e telegramas na cidade, sempre com razoáveis atrasos, muitas vezes provocados por longas escapadas ao dever na repartição, nas horas de recreio dos alunos e da folga da professora, estas em banco de jardim nas imediações da escola Félix Gaspar, outras onde quer que possível fosse dar-se aos beijos e abraços com Margarete, sendo que no escuro das sessões dominicais do velho Cine Theatro Glória é que ele e ela se esbaldavam no chamego, para a minha maior

República dos Mentecaptos

desesperança, para o meu desmedido ciúme, e como era bonita a minha primeira mestra, de cara, corpo e alma, não tergiversa, ela, quando alude aos lances de suas coxas morenas que ousei pegar, às suas calcinhas de variadas cores que vislumbrei, enquanto, dedicada, professorava suas aulas, voz doce e suave, saída de uma boca de lábios finos e sensuais, um par de olhos verdes claros a enfeitar o rosto de tez morena, era bela, minha primeira namorada, não sei como hoje ela está, se mantém na velhice toda a formosura dos tempos idos da minha paixão, desconheço se sucumbiu à fadiga de material a que o passar dos dias condena a nós todos, humanos ou aviões, sei não, nunca mais a vi, mas quanta saudade, quantas saudades, que saudadeiam — se é que existe o verbo saudadear — igualmente as festas juninas onde fui noivo de mentirinha, patéticas récitas poéticas que protagonizei, intermináveis discursos, por encomenda, que proferi e até eventuais concertos desconsertados de acordeão, onde eu maltratava o pobre instrumento, quanto deve ter sido penoso para as plateias aturarem as minhas valsas de falsos acordes, os meus *foxtrots* sem ritmo, perdoem os que a eles sobreviveram, perdoem-me mais ainda os que já morreram, creio em Deus que não por culpa única das minhas performances, só delas, Margarete me queria aluno e artista, nunca amante, prova provada tive quando, chamado a outras dimensões por morte súbita, atribuída a causas desconhecidas e não elegíveis à época pelo doutor Fonseca, Felisberto deixou Todavia sem carteiro e Margarete sem namorado, fui, mais esperançoso que solidário, ao seu velório, a professora atracava-se como uma louca ao caixão mortuário, assim como se atracam as cracas aos cascos das velhas embarcações encalhadas, dizia que queria ser enterrada junto com Felisberto, foi um horror ter que desapartar a moça do ataúde na hora derradeira de pôr a tampa e levar-lhe o amado à terra

Fernando Vîta

crua, e diante de tão lancinante dor, me dei por derrotado, findei para sempre a minha paixão, a professora cobriu-se de luto fechado de autêntica viúva por todo um ano, eu de luto fechado estou até hoje, não é fácil para ninguém perder o primeiro amor, ainda que por mais improvável e factível ele possa ter sido, coisas da paixão, você sabe tanto quanto eu, são muitas as canções e poemas a tratar do tema, não venha eu, agora, maltratá-lo.

Como também não auguro maltratar o chefe da estação da estrada de ferro, o Vita, Chico (a esse suposto parente, que deu partida ao trem do longo falatório a meu respeito, só por birra quebro promessa e me permito inverter sobrenome e nome, ao contrário do que operei com os demais. Só por birra!) por mais que ele a mim tenha maltratado, ditando que eu usava seu Chico Vita em vão para viajar de graça nos trens de carreira, fiz isso umas poucas vezes, apenas, mais por querer descontentar o coro dos contentes que por qualquer outra razão, sempre admirei por demais artistas e bandidos de filmes de cinema que se valiam dos tetos, escadas ou vagões de carga dos comboios para viajar sem pagar, fosse por mendicidade, bandidagem ou desafio, assim não me tenham por malfeitor, porque o que eu queria era ser herói e poder cartar depois, em minhas rodas, viajei em clandestina carona nos trens da Estrada de Ferro Nazaré, muito mais custoso para a velha e decadente companhia ferroviária, por certo, foram muitas vistas d'olhos que o seu chefe de estação deixou de dar, quando da partida dos trens, a uns tantos e tantos quilos a mais da carga despachada que ele deixava passar em branco nas balanças de pesagem — fardos de fumo manocado beneficiado pelo armazém do Inglês com destino ao porto da Bahia, e dele, para a Europa; rebarbas de frutas em demanda aos saveiros de Nazaré das Farinhas que as levariam à grande

Mentecaptos

feira de Água de Meninos — quando não, vistas d'olhos de igual modo fazia o chefete a umas e outras putas dos puteiros da Rua do Mija Gás, que costumavam pedir-lhe passe livre para ir a Nazaré ou a Rio Fundo atender às necessidades de afeto de algum cafetão ou responder à convocação profissional de um proxeneta, aí Chico Vita ficava catito, carimbava e rubricava até papel oficial timbrado coonestando a cortesia, ele, o meu primo em terceiro grau, que de tanto ir às putas e beber cachaça, se não levou à falência a empresa dos trens, deixou senhorios e muitos donos de estabelecimentos que penduravam notas em Todavia a gastar muita sola de sapato em busca de receber alugueres e dívidas penduradas, o danado do ferroviário tinha artes do demo para deles escapar, praticando com muita habilidade a façanha que me imputou, usava o trem da hora para dar uma rápida fugida, ia só até ali pertinho, ao Onha ou à Taitinga, e logo regressava no trem da volta, quando não se valia de algum vagão abandonado ou em manutenção na estação para se esconder e mandar dizer ao credor que não estava, eis o Chico, baixinho, gordinho e rechonchudo como um bacuri castrado, além do que, como o Ernesto das frutas, das jumentas e da anã Judite, mais surdo que uma porta, as portas ao menos se fazem ouvir desde que a elas cheguemos com o batucar dos nós dos nossos dedos ou com um ô de casa! da nossa voz, se forem das que lacram as casas de morar pessoas, teremos um ô de fora! de volta; se, porventura, vedarem ao mundo os sigilos malcheirosos dos quartinhos de descomer, arriscamo-nos a receber pelos cornos um tem gente!

Ao dar com os nós dos dedos às portas da casa de Heliogábalo Pinto Coelho, no entanto, tive como retorno mais que um preciso ô de fora!, veio o próprio HPC, como era conhecido na tribo dos jornalistas o velho repórter, que nasceu, viveu e morreu, na profissão, a cobrir o cais do porto da Cidade da Bahia para diferentes periódicos — navios que chegam ou se vão, se de carga ou de passageiros eles são, que formidável desembarcou, que desimportante embarcou, quais seus calados, capitães e armadores, o que levam ou o que trazem em seus porões, que bandeira ostentam aos mastros de proa e popa, essas coisas comezinhas que geram notícias nos ancoradouros de todos os cantos, pois bem, como eu dizia, veio o próprio Heliogábalo em pessoa dar-me as boas-vindas, trajando engomado pijama azul listrado, com frisos de sianinha encarnados nas golas, bolsos e mangas, reforçar o ô de fora! com aconchegante e fraterno abraço, aditivado o amplexo por muitos há quantos tempos, chegue à frente que a casa é sua, jovem confrade Fernando Vita, o que beberemos, antes de tudo, para começarmos a nossa tertúlia, arguiu-me, assim mesmo, o emérito periodista, que se afeiçoara

Fernando Vîta

à minha pessoa nas nossas andanças de setoristas de docas, ele mourejando para um jornal, eu para outro, principiante eu, ele decano no pedaço, vezes eu lhe repassava o que sabia de novo, outras ele o fazia para mim, assim ficamos amigos, mais amigos que companheiros de jornadas, mais amigos ainda porque HPC tinha algumas sigilosas conexões entre as águas do Atlântico e as calçadas da Cidade Baixa, que lhe facultavam, entre a chegada de uma embarcação e outra, certas facilidades no conseguir coisas contrabandeadas, que as repassava, a preços bem módicos, a uns poucos a ele mais achegados, de cigarros de França a *whisky* d'Escócia; de calças *Lee* americanas a sandálias japonesas; de pomadinhas chinesas, retardadoras de gozo de macho em baixios de mulher, a camisinhas de vênus de Indonésia que impediam que esporradas tresloucadas gerassem filhos, da puta ou não estes, operava, ainda, o venerando repórter, uma eficiente navegação de cabotagem com catraias que transportavam, na calada das noites, contingentes de meretrizes dos mangues da Ladeira da Misericórdia e da Conceição da Praia para desafogar, a bordo mesmo, prazeres represados de marujos e embarcadiços outros dos vapores fundeados em posições remotas da Baía de Todos-os-Santos, iam putas, voltavam putas e muambas, e foi numa dessas catraias que Heliogábalo achou que, diante da minha situação anfíbia de aspirante à clandestinidade política ou à cana dura nos porões do Dezenove BC, de muito melhor alvitre seria embarcar, fugar, dar às de Vila Diogo, sumir por uns tempos do Brasil, clandestino ainda que, num cargueiro qualquer entre os tantos ancorados fora do porto, assim foi ajuizado, assim foi feito, catei uns poucos panos de bunda que tinha e, silente, quando dei por mim embarcado já estava na catraia de nome *Avião do Mar*, eu e mais umas seis mulheres-damas,

Mentecaptos

elas, em demanda de michês, eu, de liberdade, mareei logo na partida da barquinha, devolvi ao mar todo um supimpa escaldado de cabeça de badejo que HPC provera em restrito jantar de despedida que, gentilmente, me oferecera em sua casa, para completar a minha odisseia, logo ao pôr os pés no barco — um petroleiro de largo calado, de bandeira soviética — percebi que uns tantos marinheiros me olhavam de jeito estranho e desajustado, imaginei que podiam estar a fim de cu de rapaz, engrenei uma ré acautelatória e tornei ao caminho de volta à catraia que me trouxera antes mesmo de beirar a escotilha que me levaria aos porões da belonave, quase que na pressa despenco da escada de cordas e caio na maré enchente, hoje, não duvido, tenho jurisprudência firmada de que aquele pequeno contingente de embarcados russos, armênios e cazaques podia estar a fim de me fazer de enrabadiço — figura assaz comum em gáveas, castelos de proa ou casas de máquinas dos engenhos que navegam e que têm como missão ceder o assim chamado vaso nefando para uso da marujada em apuros —, veja em que barca furada eu estava prestes a navegar, eu, pretenso comunista, em um pedaço da URSS a vagar nos mares, a ser enrabado por camaradas ao som da *Internacional Socialista* ou de um outro solo qualquer de balalaica, fiquei não, escafedi-me, um reles Ulisses cabisbaixo sem Penélope a esperar em terra firme, Heliogábalo ficou muito puto com o trânsfuga que fui, também pudera, o rabo a ser sovado em questão tão delicada não seria o dele, e sim o meu, ser comunista, tudo bem, HPC — eu argumentei em contraponto ao seu descontentamento com o desfecho da fuga — mas brincar de baitola, quero não, então ele ficou de pensar em uma outra saída alternativa para o vexatório ponto de vida em que eu me encontrava, sem trabalho, sem casa, nau sem rumo, à deriva,

Fernando Vîta

e as portas de HPC abriram-se para mim mais uma vez, nelas não precisei nem bater com os nós dos dedos em busca de cama, mesa e banho, não aspirei afeto porque aí também seria um querer desproporcional ao meu modesto merecer, dia seguinte, cedo, Pinto Coelho já se voluntariava a levar-me a um santo forte, que, assim me disse, não me deixaria pagão, santo ou padrinho, indaguei-lhe, os dois, ele respondeu-me, goleando com muito gosto um copázio de café com leite, de sorte que quando me vi diante da excelência que era o governador nomeado da hora, por ato de arbítrio dos milicos e sem respaldo de votos do povo, Antônio Carlos Magalhães era o seu nome, ACM ou *Cabeça Branca* também o nominavam sem agravo, senti-me a um só tempo forte e fraco, como se a esse luxo pudesse me dar ao desfrute, o mandachuva ouviu o meu drama em poucas palavras e ainda menos ouvidos, perguntou-me de onde eu procedia, eu lhe disse, escabreado e bem baixinho, ser de Todavia, de onde mesmo, porra?, de Todavia, repeti, pois é para lá mesmo que você há de voltar, naquele fim de mundo ninguém acha procurado da lei e da ordem, ademais o que lá manda e desmanda tem o nome de Augusto, é Magalhães também, mas não temos nenhum parentesco, leva Braga ainda de quebra na graça, importa é que é santo do meu altar, nada lhe haverá de faltar, um bico remunerado na prefeitura de sua terra, inclusive, se isso lhe apetece, ótimo; se não, que se fodam você e o seu cupincha Heliogábalo, a quem nada devo e que a mim tanto pede; agora, faz favor, deixem que eu trabalhe pela Bahia, mais precisada de mim que vocês, verberou um ACM empolado, saímos do Palácio Rio Branco, onde despachava o homem, meio que tontos ante tão inusitado desfecho, HPC ancho de orgulho pelo prestígio demonstrado, eu, pobre de mim, com um cartão de recomendação do que mandava para

República dos Mentecaptos

o que era mandado, o primeiro abancado na Cidade da Bahia, o segundo em Todavia, para onde, jurei mais de mil vezes, jamais voltaria, ah os fados! Tive que voltar, que jeito? Viver, para variar, é a arte do possível, e contra os fados, rebelar-se quem há de?

FADO II

Hospício, ele mesmo

"[...] O Padre Lopes confessou que não imaginara a existência de tantos doidos no mundo, e menos ainda o inexplicável de alguns casos. Um, por exemplo, um rapaz bronco e vilão, que todos os dias, depois do almoço, fazia regularmente um discurso acadêmico, ornado de tropos, de antíteses, de apóstrofes, com seus recamos de grego e latim, e suas borlas de Cícero, Apuleio e Tertuliano. O vigário não queria acabar de crer. Quê! um rapaz que ele vira, três meses antes, jogando peteca na rua!"

Machado de Assis,
em *O Alienista*

Cidade da Bahia, tantos dos tantos de mil novecentos e setenta e quantos, meus extremosíssimos pais, eu confio em Deus e em nossa padroeira Santa Rita dos Impossíveis que esta os encontre em gozo da mais perfeita paz junto a todos os que lhes são gratos, entre os quais, obviamente, não tenho o desplante de me incluir, filho desalmado, desatencioso e mal--agradecido que sempre fui autoqualificar-me-ia até mesmo como um autêntico filho da puta, não fosse essa titulação, que se encaixa como uma luva em escrotos do meu quilate, jogar lascas de dúvidas sobre a honorabilidade da minha santa mãe e do meu venerável pai, o que seria um despautério, verdade é que, ao me mandar de Todavia, sem mais aviso, assim de repente, imaginei estar a fazer-lhes, meus queridos velhos, um grande e impagável favor, ao poupar-lhes de vexames ainda maiores que os que até então já lhes causara o meu comportamento errático e irresponsável em tão poucos anos de vida passados aí, verdade é também que a mim próprio concedi-me igual favor ao livrar-me de Todavia e de seu desarrazoado gentio, a penitência que agora faço é na direção de vocês me perdoarem qualquer coisa e me concederem a <u>venia</u> de informar — não sei se isso mais os alegrará ou os entristecerá — que estou voltando para casa, não tenho a data certa nem a quero ter, admito que o elemento surpresa tornará o meu inimaginável retorno à terra natal menos traumático para todos, inclusive para o próprio eu, assim que já lhes peço que nada comentem com quem quer que seja, irmãos, parentes ou aderentes, nem mesmo com o monsenhor Galvani, com esse prelado então nem pensar, ele que não preserva segredos de confessionário, por que haveria de a este vir a preservar?

 A idade já não tão tenra de vocês, a neve das suas cãs, por certo devem os ter levado a imaginar as muitas razões para o meu longo silêncio epistolar, só agora quebrado com essas mal traçadas linhas, as debitando às muitas merdas que eu estava a aprontar na capital, acertaram na mosca, pois, vocês, se merdas aí eu aprontava mesmo com a vigilância atenta dos seus olhos fiscalizadores e a sempiterna presença ameaçadora de uma robusta palmatória de maçaranduba de lei, pior foi cá, na Bahia, pintei e bordei e não os afligirei de uma sentada só com todos os meus pecados capitais, em aí chegando os vou desovando a conta-gotas, apenas um lhes antecipo, por ser ele a causa mãe de todos os meus perrengues, quis virar comunista e me lasquei todo,

Mentecaptos

olhem, meus pais amados, no que resultou eu não lhes ter escutado no passado os tantos conselhos para que me afastasse do alfaiate Quito Comunista e das suas exóticas ideias políticas, que vocês mesmos, tantas vezes, afiançaram ser próprias dos não tementes a Deus, então, como lhes narrava, desgracei-me a tal ponto que estou deixando a Cidade da Bahia no papel de fugado, não havendo lugar melhor no mundo que Todavia — não bastasse a saudade que tenho de vocês, não de Todavia, ressalvo! — para abrigar um filho pródigo que de tão pródigo em cometer besteiras agora sente no próprio cachaço o chucho algoz da perseguição dos militares, creio que em estando aí homiziado eles não me hão de capturar nunca, levo na algibeira um cartão de apresentação ao prefeito Augusto Magalhães Braga, assinado por um mangangão que, de tão importante, nem a vocês declinarei o nome, pelo menos enquanto estiver a usar as páginas desta carta, a lhes ser entregue por um portador que não reputo de jurada confiança, o compadre que vocês tratam cerimoniosamente como meu compadre Aureliano das Angélicas, ele mesmo, o único todaviense que encontrei por aqui, pelo Cais da Bahiana, a sobraçar os seus punhados de feixes de flores trazidos de Santana do Rio da Dona para ornar bodas e enterros na capital, não se negou o mercador das palmas de Santa Rita, cravos, begônias, rosas, miosótis e das angélicas, estas últimas que já se lhe agregam ao nome como se dele fossem parte, a fazer-me o obséquio de ser o portador desta missiva, menos pela delicadeza do favor, mais para exercitar tarefa em que é tão hábil quanto quando planta e colhe flores silvestres em Santana do Rio da Dona e as vende na Cidade da Bahia: violá-la o lacre, tomar ciência plena do seu inteiro teor e compartilhar os seus segredos a partir dali mesmo, do cais do porto, depois nos vapores e no trem de baldeação, de maneira que quando esta epístola alcançar vocês, os seus legítimos destinatários, Deus e o mundo já estarão a par das boas — ou das más — novas que ela traz pela boca do florista parlapatão.

Por enquanto, meus pais, vou ficando no que já lhes contei, se lhes escrevo agora é muito mais para evitar o choque da minha chegada abrupta e inopinada depois de tantos e tantos anos de sumiço, isso, por certo, poder-lhes-ia causar algum dano à saúde e ao bem-estar, e antes que lhes implore as bênçãos paternas, tranquilizo-os de pronto: não lhes serei custoso nem com cama, nem com mesa, nem com roupa lavada. O cartão que levo ao alcaide AMB, assinado por um formidável tão formidável que nem mesmo vocês haverão de crer não ser ele próprio mais um dos meus embustes, me garantirá estipêndio em sinecura que me proverá sustento sem onerar as economias de quem quer que seja, a não ser as do erário do município, se é que elas já não o foram totalmente embolsadas e dilapidadas em proveito próprio pelo nosso Augusto prefeito, um reputado ladravaz, como de todos é sabido.

A bênção, meus tolerantes pais. Até breve! Estou chegando. Aceitem-me de volta, é o que lhes pede o filho Fernando.

O trem chegou a Todavia naquela terça de um outonal e opaco março de mil novecentos e setenta e pouca coisa, sem atraso de monta a registrar (a prevista estancada do comboio no Caboto para acomodar água e lenha na locomotiva e merenda de mingaus e cuscuzes variegados no bucho dos passageiros nunca foi tomada como real atraso!), mas registro que mal ponho os pés de volta na velha estação de onde havia uns tantos anos partira, ouço ao fundo uma vozinha melíflua, esganiçada e galhofeira a cantar *boemia, aqui me tens de regresso, e eu suplicante te peço, a minha nova inscrição, voltei...* E quem era o sacana a solar o samba-canção de Adelino Moreira, que a candora voz de Nelson Gonçalves registrara em vinil de setenta e oito rotações e as rádios e serviços de alto-falantes de então espalharam por todo o Brasil, senão o meu primo em terceira instância, isto mesmo, o parrudo ferroviário Chico Vita, esse mesmo Chico, leitor, que o recepcionara quando da sua sempre assaz lembrada estada na cidade com um elaborado e negativo discurso sobre meu passado, agora de novo fazia-se presente, o maldito, ali na estação, em modo de letra e música,

Fernando Vîta

para desabonar-me a volta, mas nem cogitei de dar-me o luxo de, diante de tão sonora e pirracenta boa-vinda, fazer como você fez assim que teve a chance única, ou seja, pegar o próximo trem e se mandar, nem pensei em perpetrar tamanho desvario, o cartão de minha apresentação do governador da Bahia ao prefeito de Todavia, de texto rombudo e poderoso que eu só lera de perto ao pôr os pés no navio do involuntário regresso, dava-me suficiente par de colhões para seguir em frente, não sem antes mandar o meu primo ir tomar no olho do cu, assim o fiz, mas na glória de ofender em dose dupla, deveria ter-lhe instado a que no olho do cu ele não fosse tomar, assim implícito ficaria deixá-lo ainda mais puto por um puto enrustido e disfarçado de macho ele ser, veja que até as artes do vá à porra, à puta que o pariu ou tomar no olho do cu retêm certas nuances, é tudo um arranjo de peso e medida a ser sopesado por agressor e por agredido, o que pesa muito para o primeiro, pode ser leve demais para o segundo, e vice-versa, quanto ao cartão de ACM a AMB, era ele nem curto nem grosso, cauteloso e prudente para ambas as partes, emissor e receptor, eu no meio e no centro da demanda, principal parte interessada em seu desfecho, se tudo desse certo, ótimo, se não, no mato sem cachorro estaria, mas o que dizia o cartão do homem, com as armas e brasões do governo do Estado assinalados ao alto do pedaço retangular de opaline branco, de exagerada gramatura, em letras escritas à tinta azul-escuro por caneta *Parker 61*, isso pude testemunhar de corpo presente, em Palácio, ao lado de Heliogábalo Pinto Coelho, era:

> *Estimado correligionário Augusto, o portador, o assim dito jornalista Fernando Vita, é pessoa da minha maior estima e consideração, que aqui na capital passa no momento por*

Mentecaptos

certas dificuldades políticas, que não as posso explicitar em detalhes, a não ser pessoalmente, mas que, de logo, haja vista o momento delicado que vivemos, há o amigo de imaginar quais elas sejam. Dê-lhe abrigo afetivo e material e saiba que lhe serei, como sempre, reconhecido. Aceite o abraço do seu Antônio Carlos Magalhães.

E logo na sequência e de lambujem, ainda estava *VIRE*, em maiúsculas e com três traços apressados abaixo à guisa de grifos, porque acabara o espaço útil do documento, e no verso vinham dois *post scriptuns*, antecedidos pelos numerais um e dois, o primeiro:

Em política, certos cristãos-novos quase sempre valem mais que os velhos, porque são mais dóceis, fazem tudo para agradar e levam mais tempo para pensar em trair ou furtar; e o segundo: *Não me esqueci do compromisso, que muito me honrará, de ir aí só para batizar o Augusto Magalhães Júnior e virar seu compadre. O diabo é que os problemas da Bahia e do Brasil são bem maiores que meu tempo e o seu menino já cresceu tanto que, soube, até já está na vereança local... Transmita-lhe igualmente os meus encômios e saudações democráticas. ACM.*

A galhofa do chefe da estação do trem deu-me o chão que eu precisava para cumprir o que previamente planejara para minha chegada a Todavia, passar batido por uns e outros prováveis conhecidos que me reconhecessem sem oi nem como vai, muito menos, bons-dias ou boas-tardes, pegar minha valise de poucos haveres que me restavam — um terno de *O Adamastor* bastante surrado, uma dupla de gravatas *Duplex* mais maltratadas ainda pelo uso, umas poucas camisas de golas e punhos puídos, algumas meias e cuecas desbotadas, o único par de sapatos *Mirca* eu o trazia aos pés — e de logo bater às portas do prefeito de Todavia, ainda bem que a prefeitura ficava bem ali à margem da linha do trem, em frente à cadeia pública, o calor era de inferno de Dante, a tarde mal começava quando me apresentei a uma secretária sonolenta, que estava a apreciar fotonovela de amor em *Capricho*, falei boa-tarde, ela nem aí pra mim, repiquei o boa-tarde e agreguei que tinha um cartão do governador ACM para o prefeito, ela indagou-me, descrente, de quem mesmo, e aí eu engrossei a voz e lhe dei volume de tons acima do normal, de ACM, A, de Antônio, C de Carlos, M de Magalhães, gracejei, aí a porta do gabinete se abre como que por mágica e aparece o Augusto Magalhães Braga entre incrédulo e curioso para me analisar de ponta-cabeça por uns minutos, e ao ver as insígnias do poder governamental no frontispício do envelope que eu trazia à mão direita de forma a escancará-las aos olhos, me fez entrar, sentar, não sem antes me abraçar efusivamente, perguntar-me como fora a viagem — vira-me a mala aos pés —, se o navio jogara muito na travessia da Meia-Travessa, se eu queria água, suco ou cafezinho, agradeci os rapapés e dei-lhe em mãos próprias o pistolão governamental, consciente de que todas as portas a partir de então se me abririam, aquele cartão, tanto quanto a paciência, a todas elas haveria de escancarar, AMB mantinha a mesma cara oval e enigmática de sempre, o sorriso maroto e o olhar arteiro, as mãos com as unhas tratadas, polidas e pintadas a esmalte incolor, o terno claro de diagonal *Fátima*, como de costume feito sob medida pelo alfaiate Quito Comunista, apropriado para aquele cuscuzeiro que era Todavia, não mudou o nosso mandrião nem mesmo o bigodinho afilado e sutil da juventude, tantos anos já idos que eu o vira em carne e osso, continuava o mesmo, é assim que

Mentecaptos

se dá, o tempo é vassalo dos canalhas, eles nunca envelhecem, filosofei só por filosofar, a hora cabia.

Achei-me ancho na companhia do prefeito, não nego, não sei se pela força que eu sabia ter o cartão que havia pouco lhe entregara, não sei se pelo seu jeito cordialíssimo de me fazer sentar ao seu lado em um sofá de três assentos, todo ele revestido de veludo lilás, mesma cor, aliás, das três poltronas de arquitetura pesada que também supriam a área de receber gente do gabinete, o mais que o compunha era a sua ampla mesa de despachos apinhada de papéis, canetas, pastas de processos em notável desordem organizada, quatro cadeiras de vime à frente, além das bandeiras do Brasil, da Bahia e de Todavia que em mastros de metal brilhoso faziam pano de fundo à única cadeira de espaldar alto, esta prenhe de rococós decorativos, também forrada de veludo, só que de cor vermelho sangue, como que para destacá-la, no ambiente, daquelas outras onde os comuns haveriam de pôr seus traseiros, era a da autoridade, a do poder, a de quem manda e até desmanda, vi também escarradeiras de louça antiga nos cantos da sala e aos pés do *bureau* do alcaide, punhados de borrachinhas de amarrar cédulas, uma úmida esponja cilíndrica das que os caixas e tesoureiros de banco ou não usam para aspergir com água as pontas dos dedos para melhor contá-las, as cédulas, quando elas são muitas em volume e bastas em valor, e uma imagem do Cristo Crucificado em vestes roxas ocupavam o que me pareceu ser um criado-mudo improvisado em impróprias funções de oratório, e pelo que continha no seu tampo de verniz castanho, pôs-me em dúvida sobre a que Deus buscava honrar, se ao da cruz ou se ao dos bolsos, ou se a ambos ao mesmo tempo, as cortinas que protegiam do sol e dos olhos bisbilhoteiros o lugar de trabalho do prefeito de Todavia eram igualmente de veludo,

Fernando Vîta

essas verdes e cheias de babados e borlas aqui e acolá como ornamentos, não sei porquê, visto assim no seu conjunto, agregados dois ventiladores de teto com as suas pás giratórias a tentar espantar, sem êxito, aquele calor infernal, mais um telefone preto bem antigo, tido como negro-mudo pelo vulgo em cidades de telefonia precária como aquela, o local de labuta do prefeito trouxe-me à imaginação lembranças bem vivas do palácio do patriarca, de García Márquez, em seu *Outono de delírios*, não sei porquê, foi quando, morta a minha sede por mais de um copo de água gelada com cubos de gelo no meio, AMB perguntou-me o que eu sabia e o que pretendia fazer em Todavia, sendo de todo sincero ao me garantir que se eu, porventura, achasse de melhor alvitre nada fazer, embargo não haveria, poderia aquietar-me onde quisesse, não seria eu o único funcionário público da municipalidade a estorvar o erário sem nada lhe dar em troca, mas com os olhos centrados nos meus garantiu-me não ser boa pedida ficar dia após dia a coçar a sacaria, o nada fazer iria pôr meu juízo no lixo, engrossaria eu o já imenso exército de malucos mansos locais, desperdiçaria a saúde nos botecos ou indo ao mulherio, fale agora você, que tanto já me ouviu, disse-me, mas fique de logo sabendo que pedido de ACM para AMB é uma ordem e ponto-final, e que se revoguem as disposições em contrário, vamos, abra o peito, sou todo ouvidos, e antes que eu começasse o meu bê-á-bá bateu com os dedos em uma campainha dessas que professor utiliza para pedir silêncio em sala de aula, em pronto atendimento veio solícita a secretária, ainda que com a revista *Capricho* dobrada sob o sovaco, dona Hilda, mande um autorizo para a pensão de Antônio Alfinete. Que ele hospede o jornalista Fernando aqui presente sem ônus para o próprio, todo para o município, é lá que eu quero que

Mentecaptos

ele more até deliberação posterior, nunca lhe botaria na nossa outra hospedaria, o *Hotel das Palmeiras*, lá não abrigo ninguém, não dou confiança a Henrique Santos, seu dono, não é da minha corrente política, sim senhor, disse a secretária, sim senhor doutor Augustinho, acompanhe-me, por favor, seu Fernando.

Meu preclaro governador, correligionário, amigo e futuro compadre Antônio Carlos Magalhães.

Antes de tudo, auguro que o Senhor do Bonfim, sentinela imortal da Bahia, esteja da sua sagrada colina com os olhos atentos a guiar-lhe os passos!

Escrevo-lhe estas linhas de próprio punho para comunicar que o seu pedido de abrigo "afetivo e material" para o "assim dito" jornalista Fernando Vita foi, como não poderia deixar de ser, imediatamente atendido, nada me deve vossa excelência por isso, muito pelo contrário, sou seu eterno devedor e o senhor o sabe, inclusive o beneficiário do adjutório pleiteado é oriundo da nossa Todavia, muito embora daqui tenha se ido muito cedo, conheço-lhes os pais, são da nossa corrente política, perceba que vossa excelência até quando pede favor é dadivoso, pede e ao mesmo tempo dá a paga em troca, opera como o sacro serrote de Santo Antônio, que, dizem os sabidos, serra a madeira na ida e na volta, e vou lhe explicar o porquê do meu pensamento. O elemento a mim encaminhado pela excelência, posto a falar à vontade de si próprio, da sua vida, pareceu-me ter algumas caraminholas na cabeça em termos de aproveitáveis ideias, não se me amostrou burro de tudo e disse possuir algum estudo, não diploma nem anel de graduado no dedo anelar, o senhor sabe da missa mais do que metade, as autoridades da Federal meteram-lhe os pés nos quartos antes que ele se atracasse com o diploma. Além do mais, sendo filho de gente da nossa política, seus pais deverão a nós dois essa benesse, muito embora eu saiba por fonte segura que o prestígio do Fernando Vita em questão entre eles é nulo, não só por alguns aperreios que o próprio levou a família a enfrentar aqui entre nós por culpa do seu comportamento pouco plano no passado, como também porque ao que se sabe nunca ligou para parentes e aderentes, ainda por cima não careci de muito esforço, até pelo que o senhor escreve, meu governador, em seu gentilíssimo cartão, ao referenciar a "certas dificuldades políticas" que o portador estaria a enfrentar na capital, para maldar logo que esse corno é comunista convicto, por tantas e tais razões é que até mesmo os que lhe botaram no mundo, papa-hóstias de cinco costados, optam não o ter, pela doutrina de esquerda que ele professa, sobre o mesmo teto. Os tempos são

República dos Mentecaptos

estranhos, governador, e convém a quem tem cu ter medo, o senhor, meu apreciado ACM, que tanto gosta de manter-se informado a respeito de tudo o que se passa ao redor, fique sabendo logo desses particulares acerca do seu — agora também meu! — protegido, soube mais dele por meus informantes, é bom sempre os ter, os que informam, por perto e plenamente satisfeitos e recompensados, sou bom aluno da excelência, aprendi isso com a sua pessoa, a informação — ainda que a mais inútil, volátil e inverídica que seja — é a alma da política, como a propaganda é a do negócio. Permita-me ainda um ademais antes que eu lhe diga, governador, o que penso botar o moço para fazer por aqui, em exordial aclare-se que ele próprio é um boca de samba-canção de primeira linha, conversa que só a negra do leite, boquirroto em demasia, contou-me, sem que eu o solicitasse, seu passado e o seu presente, o seu futuro não o contou, porque este está em nossas mãos, além do que não lhe percebi visíveis dotes de pitonisa, tem um jeito vivaldino de se expor, mas, salvo melhor juízo, a minha análise, usando uma expressão que a excelência preza, é a de que estamos a lidar com um sabido com cara de bobo, um bobo com cara de sabido, convém ao senhor governador e a mim próprio nos acautelarmos, que cautela e caldo de galinha nunca são sobrantes no trato com gente, principalmente quando essa gente tem matriz em Todavia...

 No que me assiste, não forem vãs na prática do pôr as mãos à obra as habilidades várias que na

Fernando Vîta

prosa vasta o elemento Vita demonstrou possuir no lidar com as letras, penso em ter o mesmo na minha equipe de colaboradores mais diretos e imediatos — isso, que aí, na máquina do governo da Bahia, se denomina de secretários da casa — no desempenho de uma série de funções para as quais, em nosso âmbito municipal mais próximo e avaliável, inexiste, penso usar aqui o moço jornalista como se fosse um escrevinhador oficial de tudo que careça letras no papel ou em outras superfícies que lhes caibam, de discurso em geral a decreto de lei, de panfleto a artigo de jornal, de nota para serviço de alto-falante a frases e louvações para faixa de bramante barato ou reclames de funeral, de pichação de parede a carta anônima, sendo que nesse último particular aqui estamos bem carentes de um profissional de escol, me esculhambam, fazem de gato e sapato a mim em pessoa e à minha profícua gestão por esse meio cobarde sem que eu conte com bons escribas para operar o pau de resposta, os que aqui mourejam no beletrismo, quando não pecam pelo exercício do quase analfabetismo, padecem de preguiça atávica, ou de ambos em conjunto, e tem mais, será com o trabalho desse camarada que em boa hora vossa excelência me mandou que eu pretendo atulhar o periódico O Palládio com auréolas a respeito da nossa obra e da nossa política, coisa que o incapaz e analfabeto Urânio Mendes, seu dono por herança, não o faz por mais que lhe molhe as mãos larápias com benesses monetárias, tem ainda o capadócio Amabílio Monteiro Opobre que nos ataca com diatribes as mais perversas em seus folhetins e tirinhas. Acho que já lhe roubei, no bom sentido, por demais, o seu tempo, autoridade, com meu despropositado enunciado, se o faço é para que o senhor, governador de todos os baianos, saiba, repito, que até quando humildemente pede, providencialmente dá, quem sabe não reserva o destino a esse afortunado Fernando ora sob o nosso abrigo e guarda, a tarefa de vir no futuro ser testemunha ocular da minha vida pública, escrevendo-me honesta biografia, coisa que um outro Fernando, se não me engano de sobrenome Morais, comprometeu-se a fazer para vossa excelência e até hoje, após tantas horas de conversas que lhe subtraiu, tantas caixas e pastas de guardados seus que lhe foram entregues em mão, dormita numa pasmaceira de leso preguiçoso a desfrutar das benesses de depositário fiel dos seus, meu governador e amigo, muitos segredos, a esperar que Deus chame ao seu reino o meu compadre de amanhã para pôr na praça o seu relato em forma de livro sem correr o risco de pagar os ônus reais por não ter contado a sua grande vida de homem público com todos os tintins e esses e erres, sou seu amigo, mas não queria estar na pele do Morais aludido quando da entrega da encomenda, sua vida em papel apergaminhado, encadernada, com capa, sobrecapa e orelhas, caso o dito e o escrito não forem do seu inteiro agrado e satisfação.

Recomende-me à minha futura comadre dona Arlette e a todos os que lhe são caros. O amigo de sempre, Augusto Magalhães Braga.

PS 1 — O portador desta correspondência é o nosso amigo Aureliano das Angélicas, o mesmo que o foi de uma carta do Fernando Vita para os seus pais, que antecedeu o seu generoso cartão de recomendação, e sobre tal carta, de cujo inteiro teor tive prévio conhecimento, lhe conversarei em privado como o tive...

PS 2 — O mesmo Aureliano leva alguns mimos regionais — beijus de tapioca, farinha da boa e carimã — para a primeira-dama. É o que de melhor Todavia dispõe. As duas jacas duras de vez, anexas, solicito-lhe a fineza de entregar aos destinatários, que lhes são próximos, uma é do seu garçom, Gago; e a outra, do seu aviador, Cegonha, que sei que as vão apreciar muito.

PS 3 — Seu futuro afilhado AMB Júnior encarece-me que lhe envie uma fotografia em original do próprio em atividade de campanha à vereança, em concorrido comício no distrito de Casaca de Ferro. O senhor, que é do ramo, me responda: tem o meu menino jeito de político? O seu fiel AMB.

Sou de despertar com os pássaros, quando os tenho a chilrear por perto, o que não é o caso dos amanheceres na Todavia de agora, desde que em razão da premência de sei lá que obra de merda, tocada em nome da ordem, do progresso e da civilização, foram podadas, com afiadíssima motosserra *Husqvarna*, ante os aplausos efusivos dos nativos e o espocar de rojões dos contentes, as poucas e frondosas árvores que em tempos pretéritos ladeavam as suas ruas centenárias, assim nos velhos castanheiros, oitizeiros, jacarandás floreiros hoje miseravelmente entanguidos passarinhos já não se aninham, os que querem ter certa paz de copas para o acasalamento e fronde de galho para o canto buscam outras plagas mais rurais, se você estiver com vontade de ouvir ave concertar, aprume-se para os lados dos campos de flores tropicais de Santana do Rio da Dona, dos laranjais assimétricos de Cunha Grande ou dos jaqueirais sombrosos do Casco Grosso, e se não estiver disposto a caminhar tanto em léguas tiranas por chãos de pó e céus de sol, é só aproar no sentido da casa do monsenhor Galvani, lá tem um viveiro atochado de sanhaços, curiós, pintassilgos, cardeais, sabiás, coleiras, corrupiões e outras raridades nas artes do trinar, ele, no geral as expropria, as melhores de canto, de cristãos-novos ou velhos a troco de bênçãos eclesiais, pingos de água benta de caldeirinhas e aspersórios ou extremas-unções em instantes de partida, vá gostar de passarinho assim na puta que o pariu, meu senhor Giuseppe!, certo é que na falta de melhor companhia acordei cedo para o meu primeiro dia de trabalho com o zumbido das muriçocas e assemelhados pernilongos outros que infestam a pensão de Antônio Alfinete onde ora me homizio, e em chegando ao próprio da comuna, a secretária dona Hilda Pimenta pôs-me aconchegado em um canto de uma sala colada à do prefeito, vi que além da minha mesa, quatro outras iguais perfilavam-se sem muita ordem lógica, cada uma delas com uma máquina de escrever bem antiga em cima: aqui é a mesa do chefe da Casa Civil, de sigla CC; essa outra, a do da Casa Militar, a CM; aquela outra ali é a da chefa do Serviço de Cerimonial, o SC; a de lá do canto é a da encarregada do Serviço de Informações Institucionais, o SII assim denominado; agora aqui está a sua, boa sorte, bom trabalho!, o senhor é de madrugar, como já se vê, mas vai ter que esperar sentado até que apareçam os seus outros colegas de estafe, assim disse a secretária, estafe, o da Casa Civil é o doutor advogado Carlos Aurino; o da Casa Militar é o tenente--coronel Elson das Mercês, da reserva remunerada da polícia de Sergipe; a chefa do Serviço de Cerimonial é uma espevitada quituteira de nome Lourdinha Pereira; a que cuida do Serviço de Informações Institucionais é minha comadre Taiai Marins, mas essa acumula funções, o senhor compreende, também trabalha como telefonista chefe no Serviço Telefônico de Todavia, o STT, ganha duas vezes e não tem hora certa de chegar na repartição, depende das interlocuções que ela consiga ouvir à sorrelfa ou bisbilhotar por iniciativa própria, seja operando as pegas da

República dos Mentecaptos

central de telefones — todas as chamadas passam por ela! — seja ouvindo as conversas a altos brados dos que, por surdez ou maus costumes, se utilizam aos berros das cabines de falar, nem parece que trocam palavras com gente que está nem tão longe, como no Japão, mas logo ali em Nazaré das Farinhas, em Maragogipe ou Cachoeira, quiçá na Cidade da Bahia, conforme o senhor deve estar a par, a telefonia aqui ainda é dos tempos do onça, manual e precária, o prefeito anda às turras para que a Telefones da Bahia automatize os serviços do STT, até agora necas, alega a tal TEBASA que o que já se tem aqui é até bom demais para as nossas reais necessidades, se se prestam os telefones hoje em dia para alguma coisa é para deixar vazar segredos, daí que Taiai Marins quando aqui vem, pode ter certeza que traz futricas, intrigas, particulares, demandas mal resolvidas, gente a morrer ou a parir nos hospitais da Bahia, dívidas a ser cobradas, amantes misteriosos a usar nomes de fantasia para falar com parceiras casadas ou senhoras casadas em tititis com pretensos médicos, dentistas ou assimilados de outras freguesias, uma coisa lhe garanto, a minha comadre Taiai não deixa o prefeito cego ou surdo ao que acontece ao derredor nem que a vaca tussa, e se ela, a vaca, não a minha comadre, por acaso algum dia vir a tossir, Taiai do Telefone vai dar conta pormenorizada ao doutor Augustinho da gravidade do resfriado, afinal, é para isso que existem as tais informações institucionais em todo canto do planeta, eis ele que está a chegar, acompanhado dos membros do estafe que faltam e de mais alguns puxas-sacos, vamos receber o prefeito de pé, é assim que ele gosta que se faça, reforça a autoridade, dá musculatura à liturgia do cargo, isso ele aprendeu com ACM e não esconde de ninguém, e se não temos ainda o toque de corneta a saudar a sua entrança na prefeitura, não é por falta de corneta, mas por carência de um corneteiro de bom sopro e firme embocadura para os solenes tralalalalás, bom-dia, doutor Augustinho, bom-dia, dona Hilda, entremos todos para o meu gabinete, comandou o mangano, aí, segundos depois, estávamos nós, os cinco, de pé em frente à sua mesa de despachos, coube a AMB fazer a minha apresentação aos demais, o tenente-coronel Elson me reconheceu logo, você não mudou nada, Fernando, você também não, meu coronel, eu lhe disse, aos outros eu falei muito prazer, será uma honra única integrar tão valorosa equipe, e antes mesmo que se dessem por iniciados os trabalhos, coube ao prefeito Augustinho Braga ir de dedo em riste na fachada do militar de Sergipe, o esporro foi tão violento, na frente de quem lá estava para ver e ouvir, que o quepe emblemado do valoroso oficial foi pousar do outro lado da sala, asas tivesse o adereço de cabeça, teria voado de volta à Aracaju original, tudo porque o sargento Bezerra — esse da Polícia Militar da Bahia, não de Sergipe — que atua como maçaneta, ou seja, o patente fardado que integra a Casa Militar tão somente para abrir e fechar a porta do lado esquerdo do carro oficial de AMB toda vez que ele chega ou sai de qualquer lugar, é assim tido que é igualmente da liturgia do poder, pois bem, a tão severa e estrepitosa admoestação dera-se porque o prefeito, ao deixar o evento alusivo ao Dia do Duque de Caxias, patrono do exército brasileiro, em área militar do Tiro de Guerra 115, no Cajueiro, teve, ele próprio — que absurdo! — de puxar a maçaneta e abrir a porta do Opala preto, de chapa branca, que o conduziria a novas missões, porque o Bezerra sargento em lide, a quem caberia solene e protocolarmente fazê-lo, houvera saído para tomar uma pinga ou esvaziar a bexiga e esquecera-se da obrigação, agora podem todos se sentar, concluído o bafafá, tranquilo e sereno, mandou o que manda, então ali,

Mentecaptos

logo na minha estreia na repartição, levei-me a imaginar, ah, vou me distrair para caralho nessa colocação que ACM me arrumou em boa hora nesse cu de mundo, e findo o encontro, onde algumas generalidades administrativas de somenos foram tratadas em clima de muito normais cordialidade e franqueza, todos se foram a uma nova ordem do que ordena, ficamos apenas o prefeito e eu, que ele precisava ter uns particulares comigo, sim senhor, respondi cheio de gosto, já me sentindo autoridade, mais autoridade que os outros do estafe, bem mais ainda que o juiz do concurso de punhetas da minha juventude, que levara na tampa, sem chiar, puta esbregue, mas bem menos autoridade que *Três Letrinhas*, que ali a encarnava por inteiro, como esse mundo é pequeno, o tenente-coronel Elson, bem ali a levar ordem-unida e passa-fora de um sem-farda na frente de atenta desfardada plateia, ele pimpão, todo paramentado em trajes de gala da briosa corporação sergipana, medalhas ao peito e alamares e patentes aos ombros, acabavam todos de vir da tal solenidade castrense finda a qual maçaneta Bezerra deixara o alcaide à mão.

Avante, disse-me imperiosamente Augusto Magalhães Braga como se eu fosse um escoteiro e ele um inflamado Baden Powell, sempre avante que o tempo, mesmo aqui em Todavia, urge e ruge, e se ontem deixei que o senhor falasse, hoje falo eu, *data venia* não repare os meus maus modos com o coronel Elson, mas às vezes sem maus modos a autoridade não se impõe, principalmente se você, civil, está diante de fardado, hoje qualquer merda que veste uma farda, mesmo de recruta, pensa que farda dá colhão, mas nem farda, nem berço, nem escola dão colhão a senhor nenhum, colhão não se doa nem se empresta, colhão é dádiva de Deus, sou adepto do meu futuro compadre e seu padrinho de consideração, o governador do estado, por essas e tantas outras coisas, ele tem colhão e não briga para baixo, só peita peitudo acima do seu tope, desse modo, se vale o ditado de que eu dizendo com quem ando você me dirá quem eu sou, pois assim está dito pelo povo, escreva aí: posso não ser um Antônio Carlos Magalhães, quem sou eu para o ser, mas como ando com ele na política desde o comecinho das nossas jornadas na vida pública, tento não tirar uma de professor e ser um mero aprendiz, mas deixe que eu lhe fale o que se segue, como lume e farol para a gente se dar bem no dia a dia, você aqui, na minha guarda e companhia, pode fazer tudo o que você queira, desde que não faça nada que eu não queira que você faça, é assim que eu sou, tenho ojeriza à burrice e burro completo eu já vi que você não é, de forma que não vou lhe dar cargos, mas encargos, será bom para você — que está a se medrar de medo dos esbirros dos quartéis — e para mim que a eles também temo, perceba bem, eu não sou ACM, até posso pensar em ser como ele, mas não o sou, quem me dera, mas se até ACM aprecia ter uns comunistas de estimação por perto, eu também quero ter os meus, deve ser bom, e como por aqui não há estoque tamanho de comunistas para eu dar acolho, ficarei só com um que é você, já disse em missiva para o chefe o que quero que sua pessoa faça em Todavia, e se ele não rebarbou em contrário é porque está de pleno acordo, então assim vamos seguindo a carruagem, eu mando, e você, ajuizado, obedece; eu pago, você gasta; satisfação, aqui em Todavia, só a mim você a deve, sinta-se à vontade, entretanto, para palpitar no que assim desejar, sou de bom escutar, você vai ver que até mesmo um bosta como o coronel Elson vez por outra tira do nada umas boas ideias, por que você também não teria as suas próprias? Igualmente trabalha conosco o doutor Carlos

República dos Mentecaptos

Aurino, que conhece uma meia dúzia de leis, leu uns poucos alfarrábios e se julga um Rui Barbosa, mas que Rui Barbosa porra nenhuma, quem o vê a discutir direito, explanar ou cagar regras pensa logo, o que é que um gênio das letras jurídicas como esse mulato com cara de indiano anda a fazer na prefeitura de Todavia?, mas nada, empáfia, bazófia pura; uma sólida amizade de copos e putas com o nosso juiz, o doutor Efraim, o ajuda a destrinchar as nossas avenças, andam em par como se fossem irmãos siameses a desengarrafar pingas e a remunerar putas, os dois femeeiros, desavergonhados pais de família que em vez de montar casa fixa para uma rapariga — como, aliás, eu faço, e isto não segredo! — ficam pela Rua do Mija Gás a farrear com uma tropa de outros cachaceiros, sei não, dizem que até suruba juntos eles já fizeram, cala-te boca!, quem me passou o relato pormenorizado dessa pândega foi a titular da minha área de Informações Institucionais, a dona Taiai, falemos dela com cuidado e cautela, o diabo da matrona parece que ouve, escuta e vê por todos os poros e buracos que os humanos têm ao corpo, além dos ouvidos e dos olhos, pois bem, certa feita — e aqui já se vão alguns muitos anos — vínhamos de um comício no Sururu a prosar, Antônio Carlos e eu, sozinhos em um jipe, com a gente só o motorista Sansão, que é surdo e fanho de nascença, e ACM me falou da grandeza que é ser bem informado, daí que, nesse particular eu até exagero, Taiai me faz saber de tudo, por esses dias presentes mesmo ela me iniciou uma diligência sobre um assunto que é do meu estoque de privados, mas que poderá me trazer uns certos dissabores pessoais, você haverá de notar que a minha aparência de durão é mais fachada, tenho um coração de banana mole, sofro e choro por quase tudo, e quando esse tudo inclui o amor, aí é uma desgraceira, seu doutor Fernando, depois lhe

Fernando Vîta

falo com mais vagar sobre essas agruras, o senhor ainda não deve ter ciência de uma mulher que tenho fora do casamento, a Ariana, que de tão formosa, só lhe tratam de *Belariana,* ou *Segunda-Dama,* ela vende produtos da *Avon* em domicílio, pobre de berço, rude no escrever ou falar, mas bonita que é uma coisa por demais, a dona Assunção, minha legítima esposa, sabe de Ariana, mas não liga muito; vezes fecha a cara, chora, mas não apronta escândalo, confusão, tem consciência de que um político como eu, numa terra sem graça como Todavia, tem que fazer certas artes para ser bem ou mal falado, mas nunca ignorado, assim, do nosso denominado estafe, os ditos secretários da casa, resta a dona Lourdinha Pereira, a que cuida do nosso Cerimonial, arregimenta público para os eventos, providencia os comes e bebes quando esses se fazem necessários, é muito expedita em resolver as coisas, ela sabe organizar de banquete a velório, além do mais, de quebra, ainda assina com o pseudônimo de Luly uma coluna social no pasquim de Urânio Mendes, de muita serventia para se plantar notinhas contra ou a favor de quem quer que seja, tem a Pereira algumas brigas com a dona Hilda Pimenta, minha secretária há muitos anos, que gosta de se meter vez por outra onde não é chamada, mas é minha secretária, cuida de mim como se fosse de uma criança, é de confiança no trato dos meus particulares, guarda segredos, muitos, inclusive alguns de alcova, quem não os tem, seu Fernando, quem não os tem? Por hoje, fiquemos combinados assim: amanhã, antes do nosso despacho matinal, teremos outra tertúlia como esta. Enquanto isso procure dona Taiai, ela vai lhe dar ciência de uma das suas oitivas telefônicas, que haverá de merecer, sem dúvida, no mínimo a lavratura de uma carta anônima. Será a sua estreia, jornalista, capriche, não me decepcione. Ah, antes que me esqueça: Taiai também

República dos Mentecaptos

pode lhe dar os nomes de umas trepadeiras incubadas daqui de Todavia, caso sua pessoa deseje distração, mas trate desse assunto com cautela, para ela não se melindrar. Agora, como costuma pilheriar o nosso governador, favoreça-me com a sua ausência. Pode se ir. O elemento de cor, de paletó e gravata, que o senhor habitualmente verá postado aqui à porta do meu gabinete é o senhor Serapião. Sabe, o Getúlio tinha o Gregório Fortunato! ACM tem há anos com ele o Sebastião! E eu, esse Serapião! Não sei dos dois negrões ainda na ativa qual o mais útil como anjo da guarda, por certo que é o Sebastião do compadre Antônio Carlos, que o meu Serapião já está meio broco e não é de comprar briga com ninguém; consta que foi pracinha na Segunda Grande Guerra e não disparou um só tiro de fuzil, viajou com dezesseis balas nos bolsos da farda verde-oliva e voltou com trinta e duas, brincam uns e outros aparvalhados daqui, que com ele foram lutar na Itália e que como ele regressaram das batalhas sem medalhas ou diplomas de heróis, mas com vida, apesar de bobos do juízo…

À minha saída, seu Serapião indagou-me, cauteloso: moço, como é que está, agora, neste momento, o humor do Governo? O fez de forma tão discreta quanto discreta era a sua presença ali, abancado na antessala ante uma mesa de trabalho vazia de papéis no tampo, e eu lhe respondi que ótimo, estava ótimo o humor do prefeito, dei-lhe até logo e fui embora. E Serapião permitiu o acesso à sala do que manda de um assustado que não manda, não sem antes sussurrar-lhe: o Governo está tranquilo…

Dona Taiai Marins não é uma mulher feia nem bonita, não é moça nem é velha, simplifico a equação estética e temporal qualificando-a de meeira em ambas as questões, mas nela ressalto, enlevado, por estrito dever de justiça, uns olhos claros e brilhantes e perscrutadores e um porte ereto e esguio de quem se cuida e zela em sentinela de não se tornar obsoleta como fêmea a custo do correr dos anos, que já não são tão parcos na sua certidão de nascimento, permito-me, por elegante, não cravar palpite, e do uso que ela fez do seu próprio tempo pouco se propaga além de que desde mocinha trabalha como telefonista chefa do STT, a ascensão ao cargo de chefia de tão influente autarquia, ainda que precária em termos dos serviços de telefonia que presta, veio logo na primeira gestão de Augusto Magalhães Braga como prefeito de Todavia, já a merecida acumulação duplamente remunerada com as funções de titular plenipotenciária do Serviço de Informações Institucionais da prefeitura é coisa mais recente, data da segunda chegada de AMB ao cargo, mas mesmo com uma vida tão pública, conhece-se muito pouco dos seus afazeres em privado, nunca casou ou

Fernando Vîta

procriou, não se noticiam amores pregressos ou presentes, os futuros, quem os há de saber?!, mora sozinha, pouco vê os parentes e muito menos ainda os aderentes, sua rotina é de casa para o trabalho e do trabalho para casa, à igreja não vai, o pouco que dela sei agora o soube pela Hilda comadre secretária antes de me ir sentar com Taiai no sobradinho meia-boca onde o Serviço Telefônico de Todavia tem sede própria, bom-dia, dona Taiai, saudei, amistoso, como vai a professora, sua mãe, e o padeiro, seu pai?, ela arguiu-me por arguir, embora fizesse tudo para me fazer notar que estava bem por dentro dos exatos pormenores que, bem mais fortes que os fados, me fizeram tornar a Todavia, de sorte que a nossa conversa correu reta desde o começo, sem desnecessários subterfúgios ou cautelas de parte a parte, ela sabia igualmente da razão daquela minha primeira visita ao STT, dona Hilda tinha lhe passado a recomendação do prefeito para que Taiai me recebesse em grau de prioridade máxima, de sorte que fomos sem delongas à questão que estava a intranquilizar o que manda, e o seguinte é este, disse-me de modo afirmativo e despachado a chefa do SII de Todavia — e ali já não estava a falar a das telefonistas — é que a nossa única casa creditícia, a velha Cooperativa de Crédito Agrícola e Popular de Todavia, a CCAPT, está em vias de falir, ir à breca, quebrar em três pedaços, virar quintessência de pó de peido, se é que você me entende, tudo em razão das transações mal aparadas que o seu gestor, o doutor Angelino Arnon Mariani de Sales, vem perpetrando ao longo dos muitos e muitos anos que a dirige como se fosse um absoluto sátrapa de Pérsia, ou um paxá de Turquia, ou um soba de África, ele empresta dinheiro a quem não tem lastro, o nega a quem o tem, ultrapassa os limites prudenciais suportáveis da sua capacidade de endividamento para operar repasses a uns e outros apaniguados, já não há

República dos
Mentecaptos

um buraco a tapar e sim um imenso e insondável rombo, todos os dias, no fechar do livro-caixa, o cobertor financeiro da instituição quando cobre a cabeça deixa os pés ao relento, e vice-versa, já se fala até numa intervenção estadual, ou federal, quiçá internacional, o assunto vem sendo guardado debaixo de sete chaves, porque, se cair em boca de matildes, aí é que fodeu geral, os correntistas vão lá e encerram suas contas correntes, limpam os trocados das suas cadernetas de poupança, resgatam suas apólices de seguros e pecúlios, e então adeus, Cooperativa, até nunca mais, de Crédito Agrícola e Popular de Todavia, já levei o assunto, era meu dever fazê-lo, ao prefeito Augusto e a reação dele foi, como sempre acontece, imediata, decidida e rigorosa, (E os mais de quatrocentos contos de réis que eu lá tenho guardados?, indagou-me irado. E as minhas tantas ações — ordinárias, não ordinárias e preferenciais — da CCAPT, viram reles lascas de papel de limpar toba?, esmurrou a mesa com fúria. E as economias do meu filho e da minha mulher, que na Cooperativa agora estão em cofre deveras frágil? E os meus afilhados, que eu os fiz funcionários de lá, que farei deles? E com que cara eu vou contar um desarranjo econômico e financeiro dessa grandeza para o governador?, me responda, dona Taiai! E o que dirão do prefeito de Todavia aqueles que sempre têm algo de podre a dizer do prefeito de Todavia? E a porra da oposição, já estou a ver o fuzuê na câmara de vereadores...) temos que agir e já, eu fodo esse Arnon de Sales todo, até a sua última geração, lasco o seu cu em cruz quatro vezes, encerro a sua trajetória de farsante municipal, estadual e federalmente, boto ACM na parada para acabar de fodê-lo, pago para ver, temos que tirar esse espertalhão da gestão da Cooperativa nem que seja na base da porrada, meu dinheiro não é de brinquedo, muito menos o dos outros cooperativados e poupadores de menor bitola, e depois, eu pressentia que só podia acabar dando merda, o sacana do Angelino em vez de ficar operando só no feijão com arroz, um creditozinho agrícola para um, um emprestimozinho com bom avalista para outro, uns penhores de pequena monta a contemplar uns tantos outros, não!, quis transformar o nosso único banco pigmeu em um conglomerado financeiro gigante, veja só, conglomerado financeiro gigante!, ele se gabava dessa ousadia, passou a operar com seguro, *commodities*, ações e o caralho a catorze sem nem saber direito que porras são essas, foi isso que me falou o prefeito quando lhe passei as péssimas notícias, confidenciou-me Taiai, eu todo ouvidos a escutá-la, e ela prosseguiu na verberação, imagine que até empresas societárias diversas dos objetivos da CCAPT, para construir casas populares para o populacho, pescar camarão no Rio da Dona e até para fabricar e exportar sucos naturais de jaca, ingá, caju, tamarindo e cajarana para o estrangeiro o estroina começou a implantar, esta última na Vargem Grande, em compadrio esdrúxulo com o Inglês, e quem é o Inglês, quis eu saber, desse pilantra a gente fala outra hora, ela podou-me pela raiz a açodada curiosidade, e o que sei é que a merda está feita, se não se puser um ponto-final de estanque na cagada do doutor Angelino de Sales, a instituição vai à total bancarrota, se é que já não o foi, agora que o senhor já sabe detalhes de tudo, veja o que fazer, converse com o prefeito Augusto, que foi, faço-lhe justiça, o primeiro a desconfiar, muito lá atrás, do doutor Angelino, que estaria como se diz a defecar de portas abertas na Cooperativa, não só por meio do que eu lhe contava, mas também do que o sexto sentido dele, que é descomunalmente aguçado, percebia, faça o favor, se apresse que o momento é grave, qualquer novidade nova e a gente se fala.

Mentecaptos

E foi o que eu fiz sem demora, parti para a prefeitura, dona Hilda, cara de pânico, parecia já saber de tudo, a comadre por certo já lhe repassara as minúcias, quem não estava a par de nada era o AMB Júnior, este, coitado, foi perguntar ao pai se estava tudo bem e quase leva um sopapo, tudo bem porra nenhuma, seu cagão, o mundo desabando em Todavia e você por fora de tudo, porra! Seu Serapião, à entrada do gabinete do que dá esporro, sentado como se fosse um buda nagô, recepciona-me tenso: o Governo hoje está muito nervoso, adverte-me, AMB nem responde ao meu bom-dia, sem demora pega uma pasta AZ, que alguns chamam de portfólio, entupida de papelório, contendo justamente as várias horas de transcrições de conversas telefônicas ou não do presidente da CCAPT com diversos interlocutores, dá-me em mão e delibera depois leve para casa e veja com seus próprios olhos o que os meus, estupefatos, já viram, com menos demora ainda chama o bacharel Carlos Aurino e o coronel Elson de Evaristo para uma conversa a sós, e dali saem duas vertentes de ação, uma por via judicial, outra por via, digamos, menos institucional, por via judicial seria Aurino, chefe da casa civil, conseguir do Efraim juiz uma liminar para substituir de bate pronto Angelino Mariani de Sales por outro gestor de confiança antes que o rombo se tornasse tão grande que a casa creditícia municipal sofresse uma intervenção alienígena e por uma medida precatória tornar indisponíveis, por gestão temerária, os bens do desastrado Mariani de Sales e dos seus parentes e aderentes até a quinta geração; já na questão que me coube debulhar, redigir textos explicativos e detalhados sobre a crise, naquilo que se poderia considerar publicável, para serem divulgados por todos os meios disponíveis — *O Palládio*, o *Serviço de alto-falantes A Voz de Todavia*, entre outros — sem a

Fernando Vîta

dispensa de uma grosa de cartas anônimas, tirinhas satíricas, um arrazoado sobre a crise para monsenhor Giuseppe Galvani apregoar em seus altares, pichações onde a reputação, até então ilibada, do doutor Angelino Arnon Mariani de Sales virasse bosta, de bosta fresca, inclusive, a inteira fachada da sua vistosa vivenda foi pintada, com requintes dignos de um Raffaello Sanzio da Renascença, a rogo do tenente-coronel Elson, chefe da casa militar, a um dos seus melhores e adestrados cagões de confiança, e todos agimos de forma ligeira, cada um a seu modo, mas em estrito cumprimento às diretrizes emanadas do que emana, em pouco tempo, coisa de menos de uma semana, foi-se ao olho da rua e ao escárnio popular Angelino, e um tesoureiro da confiança do prefeito, Herculano Mota, interveio na Cooperativa de Crédito Agrícola e Popular de Todavia, antes que outros notáveis o fizessem, agiu AMB, orientando igualmente o coronel Elson para tourear o inescrupuloso gestor e os seus próximos mais próximos para o quinto dos infernos bem distantes de Todavia, até hoje não se sabe onde ele está a sentar praça, nem o que faz, nem do que vive, uns falam que saiu rico, outros que fodido, Deus que tudo sabe é quem sabe o que nem Taiai conseguiu saber! E concluído o fervilhante despacho conjunto, o prefeito Augusto Magalhães Braga levantou-se do seu assento em estado de absoluta placidez, caminhou até o mictório privado que ficava à esquerda do seu gabinete e, sem ao menos fechar-lhe a porta, deu uma estrepitosa mijada, tão estrepitoso o jorro ao fazer festa no fundo do vaso de receber desapertos que todos que por alguma razão estavam à antessala ouviram o chuê e o chuá do mijo do que dá mijadas, entre eles o anjo negro Serapião, que exarou com monástica solenidade o seu parecer singelo: o Governo verte água!

República dos Mentecaptos

Quando, horas antes, estava a deixar a telefonista chefa do STT e chefa do Serviço de Informações Institucionais de Todavia em seu acanhado mundo de fios, fones e segredos violados, aventurei-me a indagar-lhe o que fazer naquele ermo de cidade em horas de tédio agudo, e ela me disse, sorrindo, entediado, aqui, você só fica se assim o quiser, seu resto de dia será, sem dúvida, muito frenético, não sei a sua noite como será, deu uma risadinha discreta, beijou a palma da sua mão direita e me levou ao rosto, com certo e indisfarçado carinho, sem deixar vácuo na despedida para que eu viesse a pescar qualquer notícia sobre as tais trepadeiras incubadas a que AMB, com certo mistério e cautela, aludira na véspera.

Noite posta quase ao fim, cansado de um dia tão frenético em seu jeito de passar que de tão frenético eu jamais imaginaria vir a vivenciá-lo — logo onde! — na tranquila pasmaceira da Todavia da minha infância, começo a folhear aleatoriamente as páginas catalogadas por ordem alfabética, de acordo com o nome do personagem bisbilhotado — para seu melhor entendimento leitor, serei didático ao extremo: na dita papelada, a graça de Adalberto vem na frente da de Zenóbio, que por sua vez vem depois da de Xisto — na pasta AZ que o prefeito me repassara na véspera, em gesto de escancarada confiança, adianto que mais como forma de fazer o sono chegar ao meu tugúrio de pensão barata que mesmo por qualquer traço de abelhuda e curiosa morbidez, eis que de repente, entre as muitas páginas coligidas por Taiai Marins, contendo pormenorizado relato das conversas telefônicas que o Angelino da Cooperativa de Crédito Agrícola e Popular vinha mantendo com Deus e o mundo, muito mais com o mundo que propriamente com Deus, tenho a minha atenção despertada para uma frase deveras enigmática que, por enigmática deveras

Fernando Vîta

tantas fora posta justo ao pé de uma das últimas laudas e grafada em tinta vermelho rubro, como que para destacá-la das demais, aí acendeu em mim o agudo ceticismo que dizem que só São Tomé — o que amava ver para crer —, os jornalistas e os filósofos mais céticos o possuem: *Angelino não usa perfumes da* Avon, *mas os tem comprado de forma exagerada,* assim como se solta no contexto a frase, e em letras nervosas desenhadas em azul-escuro e postas à margem direita da lauda, com a caligrafia do prefeito que aos poucos me ia ficando familiar, uma anotação, um recado, um lembrete certamente dirigido à chefa do SII: *Fale-me a respeito, com urgência!* Procurei em toda a pasta qualquer coisa que, mesmo de forma tênue e dissimulada, vinculasse a debacle abrupta e tumultuada do todo-poderoso presidente da Cooperativa com a aquisição de cheiros que ele não costumava ostentar ao corpo, nada encontrei, e assim veio-me o sono pesado, tão pesado, que ao dele despertar, com os pássaros mesmo sem eles por perto, senti-me leve e livre para pôr o faro na direção de inteirar-me da significância que teria o fato de Angelino Arnon Mariani de Sales não usar perfumes da *Avon* e estar a comprá-los em larga escala, aí a questão passou a ser a quem eu deveria cobrar o destrinche do enigma, quando e de que forma fazê-lo, se a Taiai ou ao próprio prefeito, se a ambos em simultâneo despacho, se nem a um nem ao outro, então nesse chove não molha da porra voltei a manusear a pasta AZ, fui à letra A, Angelino sobressaía-se soberano entre tantos outros nomes — Acelino, Acendino, Aureliano, Austricliano, Adamastor, Amador — começados por A, sem contar um imenso pelotão de Antônios — normal, eles, os Antônios, usam abundar em todas as partes! — e as informações agregadas a cada um deles variavam em temas e subtemas os mais prosaicos — Acelino

República dos Mentecaptos

dá a bunda a...; Acendino é gigolô de...; Aureliano compra e não paga a ninguém; Austricliano passa cheques sem fundos a meio mundo; Adamastor está a foder a viúva Letícia de...; Amador peida na mão e depois cheira —, sobre os Antônios tão fartos, fartas também eram as atribuições ou atribulações armazenadas, desprezemo-las, poucos Antônios usam falar ou operar o que valha registro sub-reptício e clandestino ou não, então vi que se eu, em minha pesquisa, estacionasse apenas no A, jamais chegaria ao X da questão, fui com calma e precaução à letra B, lá tínhamos um Bernardino que tinha por hábito ficar horas e horas com a bunda sentada à placa do fogão a lenha de sua casa de fodido, como que a expor ao distinto público em geral que, à míngua do que cozinhar, viviam ele e sua vasta penca de agregados a fazer de cadeira de sentar o fogão de cozinhar comida desde que perdera o emprego de garçom no bar de Lua por práticas laborais pouco ortodoxas, como beber mais bebida que a bebida servida aos seus mais fiéis clientes; um Benone da Mangueira com atrasos de meses no pagamento da pensão alimentícia dos seis filhos; um dito Belarmino do Catavento a apostar — e a perder sempre! — muito dinheiro no carteado que rola solto nos fundos da farmácia de Benito Caolho; constava no versículo boteco de Cuíca a existência de um par de quartinhos camuflados para as artes da fornicação clandestina, e de *Belariana* que comercializa produtos da *Avon* de porta em porta, sim, de *Belariana*, ela mesma, a rapariga oficial do prefeito, o que constava eu não tive a pronta resposta, carecia passar por outras letras, que na B nada estava assentado, voltei ao A de Ariana, zero informe, pulei o B já visto e fui ao C, lá, de mais exótico a registrar apenas a existência de certo Carlinhos Mainha que está a foder com a própria avó, uma senhora de oitenta e lá vai fumaça, assim, nesse diapasão de loucos achados

Fernando Vîta

que me reservo a não tornar públicos para preservar reputações ilibadas ou não tanto, cheguei ao S, e na dita página classificada estava apontada por setinha em vermelho, mais uma vez rubro, a palavra Segunda e a informação que me acendeu luzinhas faiscantes no juízo já meio engarrafado de tantas inutilidades:

(Escuta número 007, 17h36m18s de tantos dos tantos de mil novecentos e setenta e tantos...): *Angelino liga para Bela e encomenda dois vidros de perfume. A Bela supracitada pergunta se era para enrolar os perfumes para presente ou se eles eram para uso próprio de Angelino. Angelino responde: uso próprio. Por quê? Bela responde, rindo, que carece de saber mais detalhes sobre os perfumes...* (com deboche!). *Que detalhes, indaga Angelino* (curioso e meio ofegante, como se fosse um asmático). *Bela responde* (ainda com mais gaiatice na voz): *tipo, que aroma, que cheiro você quer botar no seu corpinho de gato siamês! Angelino esclarece* (é por demais ousado e despudorado o corno!): *Ah, agora entendi aonde você quer chegar, minha cadelinha pequinês gostosa...* (A voz do sacana ofega, como se um ataque de asma se agudizasse). *Ai, que já estou toda arrepiadinha...* (É Bela quem fala, grande depravada, essa moça!) *Traga um vidro daquele de formato redondinho, que tem cor de conhaque velho, semelha um olhinho de palhaço quando visto de perto e sabe a auferes de cocô* (safado!!!), *e o outro, o menorzinho, que tem uma rachinha delicada no meio, uma pimenta dedo-de-moça vermelhinha ao centro, fica abaixo do umbigo um palmo, acima do cu três dedos e cheira a bacalhau de Noruega* (ri, ri muito, o puto ao telefone!). *É para entregar mesmo aonde?* (pergunta Bela, prolongando ainda mais a xibietagem e passando, na voz, a impressão que está a ter um orgasmo,

Mentecaptos

a mundana!) a puta da *Belariana*, a devassa da Ariana, a meretriz, a mariposa que o povo identifica como *Segunda--Dama. Aqui em casa mesmo, que a patroa foi para Gandu visitar a porra da mãe dela, que está com mal de Parkinson e vive a tremer mais que aqueles jipões* Toyota *do tempo da guerra...* (ainda pilheria, Angelino, que é o Arnon Mariano de Sales, descareço dizer, mas não para por aí o depravado, insinua que está de tal forma endiabrado que "vai querer experimentar a delícia dos aromas nos dois frasquinhos, o do primeiro e o do segundo distritos", por certo para não falar de boceta e cu com a cadela!). *Às dez da noite, tá bom, meu suculento pedaço de pecado?* (indaga a messalina a quem vossa excelência dá boa vida, respeito e consideração, doutor Augustinho!). *Melhor que isso, só dois disso, Belariana!* (E complementa o rufião, o filho de uma puta, o escroto, sem saber que eu estava na escuta): *O portão dos fundos vai estar aberto e as luzes do jardim apagadas. Como sempre...* (Fim da escuta número 007, 17h42m12s de tantos dos tantos de mil novecentos e setenta e tantos...), anota Taiai Marins, chefa do Serviço de Informações Institucionais de Todavia, que ainda assina embaixo e põe o carimbo do SII.

Caralho! Se eu estivesse a deixar agora a sala do que leva chifre, não o meu quarto na pensão de Antônio Alfinete, e seu anjo da guarda crioulo porventura me indagasse como estava o Governo naquela exata horinha, não teria pejo em informar--lhe: o Governo está corno, seu Serapião!

Não fora, eu leitor, dotado de teimosia ranzinza e persistência canina, esta hora estaria à cata de que destino melhor dar ao meu precioso tempo e já sem mais delongas mandaria às favas escritor e escritura, mas não, persisto, resisto até porque Deus sabe lá onde eu estava com o juízo enfiado — e cautelarmente denego a quem quer que seja elaborar qualquer premissa sobre tal sítio — quando — por livre-arbítrio, faço questão de ressaltar — resolvi eu próprio entrar na trama desse desarrazoado Fernando Vita, imagine que até na Todavia que lhe pariu eu fui parar em balanço de navio e lombo de trem de ferro, com todos os ônus e bônus infringindo perdas e danos ao meu débil capital. Que besta quadrada eu fui, que idiota sou por ainda pôr olhos e letras nestas páginas, admito, mas já que estou mergulhado sem escafandro nesta legítima e dessaborada sopa de letrinhas, perdido por um, perdido por mil, pouca diferença faz o placar final, vou ao fundo da panela até quando — como usa avocar o mal-amanhado que a cozinha — os fados permitirem, e rogo aos céus que eles, os fados, sejam por mim e não o venham a permitir <u>ad aeternum</u>.

Como prólogo a essa minha nova e intrometida entrada numa casa literária que para todos os efeitos não é minha, mas cujas portas se me abriram mais por fancaria e parlapatice do autor que mesmo por generosa e hospitaleira amizade, principio por estranhar que há pouquinha hora mesmo o pretensioso gaiato tenha ousado tentar me explicar, e aos seus demais desprevenidos e minguados leitores — didaticamente, fez questão de frisar! — que numa pasta AZ, que ele bisbilhota como a procurar chifres em cabeça de burro — e aqui, juro por tudo, não estou a construir ironia em desfavor do pretenso escritor, nem no que toca a seus eventuais chifres nem no que tange à sua alentada asnice! — o A de Adalberto vem antes do Z de Zenóbio, que, por sua vez, vem na sequência do X de Xisto, vá à puta que lhe pariu, Fernando, que eu não careço desse bê-á-bá de otário para compreender como se opera uma pasta AZ, desde menino recito o ABC de cabo a rabo sem carecer de cola ou de pesca, do começo para o fim e do fim para o começo, vá à porra, senhor Vita, mas antes que à porra você vá, cobro algumas explicações à guisa de mera curiosidade de leitor, vamos a elas, pois, sem mais delongas, que já estou doido para escafeder-me, permitam-me os fados ou não, dessa sua arenga fofa.

Por primeiro, estranho que o considerado, de forma tão precipitada, tenha trocado, assim sem mais nem menos obtemperações, um exílio que lhe poderia ser dourado ou sofrido, tanto faz, nas estranjas por uma sinecura em si só tão previsivelmente obscura na prefeitura de Todavia, tudo por conta tão somente de sentir-se tocaiado por alguns

República dos Mentecaptos

marujos carentes de desafogos afetivos que lhe espiaram de soslaio o rabo, com olhares penitentes e pidões nos rostos marejados de tanto mar, pouca terra e vasta solidão, acho deveras esfarrapado o argumento para a sua recuada, faltou-lhe piedade, compreensão, espírito de doação, coragem e brio — que socialista de merda é você, caralho, admita que nem da paz do seu fiofó quis abrir mão em favor da nobre causa! — para enfrentar as procelas dos oceanos, o que prova que quem nasceu para o Rio da Dona jamais chegará ao Oceano Atlântico nem com todas as bênçãos de Iemanjá — Odoiá, minha mãe soberana! — e morrerá marinheiro só em chão firme.

Por segundo, soa fora de tom e de regra dar-se justamente pelas mãos de Antônio Carlos Magalhães a volta da sua sabedoria peregrina e mercenária a sentar praça em Todavia, logo as do velho ACM, e a quem ela prestará serviços, ou desserviços, variegados por lá, ao malandro AMB, três letrinhas, os dois, que não somam seis, um governador de Estado, o outro prefeitinho de uma cidade de merda como a que lhe viu nascer. E por terceiro, uma constatação: de tão à vontade você se encontra junto aos seus concidadãos, que não resisto vaticinar, você pode um dia ter deixado Todavia, o diabo é que Todavia nunca lhe deixou, e creio mesmo que jamais o deixará, os dois estão atados, como que grudados com visgo de jaca, verdadeiros irmãos siameses que são.

Por finalmente, e espero que aqui não mais seja instado, por moto-próprio ou não, a retornar, ouso ainda fazer umas singelas considerações, não as tome por achincalhes, não as tenha por debochadas, vá lá que sejam, pouco me importa, sou leitor e pago para ler, e para ver, principalmente: tendo

Fernando Vîta

o preclaro escritor, por força do destino, ou dos fados, se reencontrado com o agora coronel da Reserva da PM de Sergipe, de nome Elton, Elson, Edson, lá sei eu, que não seja movido por saudosas malocas a reeditar o venturoso certame de punhetas onde o que agora escreve se masturbava e o que agora cuida da Casa Militar de Todavia metrificava o alcance dos jorros de porra, nada glorificaria a vida das excelências de hoje reeditar bisonhas façanhas de ontem ou anteontem, ainda que na categoria que a idade de ambos cobre enquadramento, júniores os senhores já não são, seniores sim, o que entretanto não os impede de duelar com as patas às rolas, mas, por oportuno, fica uma súplica: assim que a dona Taiai do Serviço de Informações Institucionais lhe fizer chegar às mãos — e à cama, se isto for do seu desejo — as tais trepadeiras incubadas de Todavia, por gentileza e por gesto de grata nobreza dê-me ciência pronta e eu voltarei a atravessar de vapor a Baía e aí chegarei de trem para usufruir uma mais-valia em cus e bocetas...

Por Deus, por tanto que já fiz, por tanto que ainda faço por este República, bem que mereço, não sou um dos seus mentecaptos, reconheça.

Não querelarei com o leitor, que se apresenta cada vez mais como um autêntico aldrabão em suas investidas contra mim e contra este *República* que tento, a duras penas, escrever, relevarei até mesmo certas insinuações malévolas e pouco airosas que ele faz a respeito da eventual existência de galhas, aspas, pontas, chavelhos — cornos para ser mais preciso! — a enfeitar-me a cabeça, não me consto a mim próprio como um guampudo, diferentemente do que ele pensa, asno absoluto também não me imagino, e de tão dadivoso que sou, meu caro e vero adjunto de escritor, dou-lhe a minha palavra de honra de que, Deus seja louvado, se acesso tiver, em camas ou fora delas, às tais trepadeiras incubadas de Todavia, haverei de dar-lhe imediata ciência e conceder-lhe-ei parceria no desfrute dessa mais valia em cus e bocetas a que você refere às páginas idas, ainda que já o previna de que tal concessão desimplica que a sua fértil imaginação o leve a sonhar em estarmos todos juntos — você, as trepadeiras e eu — em embates orgíacos, sou um camarada já passado em anos para participar dessas proezas, já não consigo enxergar-me em surubas a colar cautelarmente a bunda à parede nem a deixar de catar sabonetes em ralos de banheiro em defesa, ou mesmo em estado de *habeas corpus* preventivo, do meu, até aqui, indevassável segundo distrito; já no que tange à regalia que lhe concedo, esclareço que não o faço por mecenato, caridade ou gentileza, mas por imperiosa necessidade que tenho de preservá-lo entre os que ainda perseveram na leitura do que escrevo, tão poucos são, então, desculpe-me, mas tenho que deixar-lhe por enquanto, leitor, pois preciso, por imperioso dever funcional, ir à prefeitura, dar às caras com o prefeito AMB — este sim, a este exato momento, merecedor das honrarias de consagrado guampudo, que é um jeito mais erudito e delicado de se chamar o indivíduo de corno —, agora já eis-me aqui chegado à entrada do palácio da municipalidade de Todavia, dou bom-dia ao sargento maçaneta, posto em farda e pose ao lado do Opala preto de chapa branca de Augusto Magalhães Braga, a cara do Bezerra não é das melhores, sabe à de um cavalo de aluguel, à de poucos amigos, assemelha-se à daquelas carrancas terríveis nas quilhas dos vapores-gaiola do Rio São Francisco, como forma de espantar para bem longe as assombrações das águas, logo ele, sempre tão alegre e lisonjeiro, o sargento, passo pela secretária Hilda Pimenta, esta acabrunhada por demais, chego a seu Serapião, que antepara o meu saudar com a precatória alusão de que o Governo chora, eu já esperava por isso, tanto pelas lágrimas do alcaide quanto pelo aviso do seu competente e aplicado perscrutador de humores, dor de corno dói, não passa com a administração de qualquer unguento, nunca a senti na pele ou na alma, como aleivosamente insinua o leitor, Deus que me livre e guarde, mas garanto que dói, amigos cornos testemunham, não doesse teríamos estoque tão

República dos Mentecaptos

gigantesco de sambas-canção a falar de chifres e chifrados no nosso cancioneiro popular?

O Governo não só chorava, mas o fazia de forma patética e a cântaros, estava, eu diria, irreconhecível o AMB que eu me acostumara a ver, em tão pouco tempo de convivência, sempre com ares durões e decididos de quem manda e impõe não afogado em lágrimas como um frágil bezerro desmamado, já soube da tragédia, doutor Vita?, perguntou-me de bate pronto, eu menti-lhe, dizendo que não, o prefeito já estava cercado dos outros quatro secretários da casa, todos com feições falsamente compungidas e solidárias, porque nunca vi ninguém ter pena de corno, então ele disse, se dirigindo a nós todos de uma só vez, que já que estávamos em família, lhe conviria tornar público o que privado já não era, levara um par de galhas, não da primeira-dama, a honradíssima dona Assunção, mas da segunda, a dona Ariana, filha de uma puta, messalina, mulher de vida airada, qualificou-a, depois de debulhar um rosário de coisas boas que por ela fizera, de casa montada com o que há do bom e do melhor para morar a um carro tinindo de novo para passear, detalhou as prebendas e benfeitorias todas, são tantas e tamanhas que não julgo próprio as inventariar aqui, dona Taiai aparentava um jeito tímido de servidor público que cumprira com o seu dever, o doutor Carlos Aurino, uma vez instado a pronunciar-se sobre eventuais medidas judiciais a serem tomadas em tais delicadas situações, exerceu com mestria a arte de tirar o cu da reta, confessou-se uma nulidade em direito civil, sugerindo que se buscasse, *data venia*, um outro causídico aqui ou alhures, enquanto a Lourdinha Pereira, do Cerimonial, nada obtemperava, embora a ela própria sob a forma da Luly da coluna social de *O Palládio* estivesse doidinha para dar o *furo* em seu jornal, pena que a lealdade ao prefeito e ao cargo tolhesse à

Fernando Vîta

quituteira da vida pública os lampejos da sua porção colunista social da privada, foi aí que o coronel Elson, da Casa Militar, pediu delicada e educadamente para falar, Augusto Magalhães Braga assentiu, então já chorava menos, contudo ainda chorava, e o brioso militar disse que já sabia de há muito das traições trampolineiras da *segunda-dama*, chegara, mesmo à revelia do prefeito, mas em estrito cumprimento das prerrogativas do seu cargo, a pôr uns secretas de sua confiança pessoal a seguir os passos da moça, daí poder assegurar que *Belariana*, entre uma venda e outra dos produtos da *Avon*, não traíra o alcaide apenas com o rapaz Angelino Mariani Arnon de Sales, da Cooperativa de Crédito, mas também com Vardinho, da loja de sapatos; Raul, da farmácia; Tozinho, do bar das Quatro Esquinas; Josué, pedreiro; Sinval, mecânico; Bia, jogador do Vasco; Zezito, eletricista; Viajante, centroavante do Humaitá; Cula, encanador; Idelfonso, beque do Onze Unidos; Tinho, tabelião do cartório; Milton Chorão, do banco... aí o prefeito gritou chega!, pare, seu filho de uma égua, seu tenente-coronel de merda, seu sergipano filho de uma rapariga!, pare, que só com esses a gente já enche mais de duas kombis!, pare, seu sacana, que você deveria ter me contado tudo antes, não agora!, vá arrombar portas abertas na puta que o pariu, porque se eu soubesse que estava a ser traído por tanta gente, não teria tirado do cargo e expulsado daqui com aquele alarido todo o Arnon de Sales, e como também, garanto, não iria transformar em inimigos os tantos eleitores, todos meus — uns bons escrotos são eles! — que compareciam às vergonhas da cadela da Ariana, a ela sim é que eu teria cuidado de fazer desaparecer daqui, já que da testeira não tenho como fazer sumir os chifres que ela me pôs, e levantou-se da sua mesa de trabalho o que ainda chora mas manda, tanto que no cu mandou tomar o fardado da Casa

Mentecaptos

Militar, foi-lhe, enraivecido, com as duas mãos ao pescoço, quase o enforca, deu-lhe chutes certeiros à canela com o bico do sapato, o coronel só lhe pedia calma, pelo amor de Deus, mais danos não fez o prefeito em fúria, porque foi contido por nós outros, com a ajuda providencial da secretária Hilda, esta que adentrou à sala da autoridade sem ser chamada, ouvira os gritos magistrais do chefe do lado de fora, acudira com um valioso e providencial copo de água com açúcar misturada com uma porção de *Maracugina*, um calmante de muito boa reputação e de melhor e imediato efeito, como se viu, pois, em questão de alguns minutos a normalidade se restabelecera no recinto, o Augusto Magalhães voltara à cadeira de sentar os quartos, o coronel Elson das Mercês recompusera a pompa e a circunstância da sua farda descomposta pelo excesso de tombos e sopapos que levara de AMB, então este pede aos demais que deixem a sala, me encara e diz decidido: vou fazer uma carta contando tudo ao meu amigo e futuro compadre ACM, porque se ele souber dessa incidência por outra boca vai ficar puto comigo, e está aí uma nova maneira de qualificar-se levar chifres — incidência! — aprendi e ensino mais essa. Então pegou o bloco de papel de carta, a caneta, o mata-borrão e suplicou-me: ajude-me nessa dolorida missão, doutor Fernando. Estou, como sempre, às suas ordens, prefeito, aproveitei para dar uma puxada de saco, lembro aos menos atentos que estou funcionário público em Todavia, portanto...

Meu preclaro governador, correligionário, amigo e futuro compadre Antônio Carlos Magalhães.

Que Nossa Senhora da Conceição da Praia, de seu posto de vigília em seu altar magnânimo, no já tantas vezes centenário templo que a abriga, a olhar de perto o mar da nossa Baía, que por ser de Todos-os-Santos a ela também pertence, guie, meu denodado timoneiro, seu navegar pelos mares da política, nem sempre infensos às borrascas.
Antes de mais nada, aceite as minhas sinceras escusas por vir a tomar o tempo da excelência para tratar de um assunto que, mesmo nada tendo a ver, diretamente, com aqueles pertinentes às nossas profícuas administrações à frente de Todavia, no meu caso, e da Bahia, no do meu considerado amigo, de forma indireta está a perturbar sobremaneira o bom encaminhamento das minhas ações à frente do município que me viu nascer, crescer e haverá de um dia vir a

servir-me de berço eterno, assunto este que é o que se segue sem mais conversa, que é como o meu nobre governador aprecia conversar: levei um par de chifres! Um não, caríssimo correligionário; vários pares, de maneira que a minha cabeça, neste preciso instante, nada mais guarda, nada mais pensa, nada mais formula, só para eles — os chifres — reserva espaço.

Por dever de justiça, antecipo-lhe que dona Assunção, minha esposa de papel passado, a primeira-dama de Todavia, nada tem a ver com os percalços morais e físicos que agora estou a enfrentar, muito pelo contrário, é mulher de muita honradez, caráter e retidão, se comporta nesta hora de tragédia moral até mesmo de uma maneira solidária muito peculiar, fica calada, faz de conta que nada sabe do ocorrido quando dele tudo sabe, que ela não é boba, apenas vez por outra deixa escapar um olhar ou um sorriso que mais que as palavras exprimem um não-sei-quê de "viu aí, filho da puta, quem mandou se ajuntar com o que não presta"? Mas, que fazer, não posso nem devo tirar-lhe a razão: eu, que pari Mateus, que o embalance, e graças a Deus e à nossa padroeira Santa Rita dos Impossíveis que a criatura que me chifrou não teve tempo de parir nenhum Mateus para eu embalançar, de sorte que dos males o menor, se é que é mal de menor monta saber-se publicamente galhudo.

A sua curiosidade natural e patriótica por saber de tudo que se passa por baixo dos céus

República dos Mentecaptos

da Bahia e do Brasil — e muitas das vezes, até por cima deles! — deve estar a instigar-lhe a indagar-me: meu futuro compadre Augustinho, antes mesmo de tantas auréolas desnecessárias, responda-me objetivamente quem foi que comeu quem aí em Todavia? E eu lhe digo sem burocracia processual e administrativa que a comida foi a minha rapariga Ariana, o senhor mesmo já ouviu falar dela, uns a tratam por Belariana, outros por Segunda-Dama, não vêm agora ao caso tais alcunhas, os comedores são tantos, que não convém, também por economia de delongas, nominá-los, e o corno, está explícito, que sou eu.

Antes que o grande líder de todos os baianos, mas amigo meu como de nenhum outro, com a sua santa e louvada impaciência venha a questionar-me o que tem a ver um governador de estado com os cornos dos seus governados, eu lhe digo do que preciso: conselho! E conselho só se pede a quem o pode dar, daí a ideia desta missiva, que estou a redigir com a ajuda sempre bem-vinda desse moço Vita, que o senhor mesmo pediu-me que amparasse aqui na prefeitura e que me tem sido de uma lealdade canina e de uma solidariedade ímpar nesses meus tempos de aflição e incerteza, então, repito, o que eu quero é um conselho, só um: o que o senhor faria, sendo um político, um homem público como eu, proporções respeitosamente guardadas, se em meu lugar estivesse?

Não desejando expropriar, ainda mais, seu precioso tempo, aqui firmo certo de que obterei pronta resposta ao meu pleito, que desta vez não é nem de obras nem de recursos, mas de um verdadeiro e sábio aconselhamento.

    O seu correligionário de primeira hora e amigo de sempre, Augusto Magalhães Braga, que também manda recomendações à minha futura comadre, dona Arlette.

PS — O portador desta carta é o de que me valho sempre, Aureliano das Angélicas, um dos poucos que, até prova em contrário, não engrossaram em Todavia o cordão dos que deitaram biblicamente com Ariana. Ele próprio também está a lhe levar, como desinteressada lembrança deste seu futuro compadre, uma imagem bem antiga de um Jesus Crucificado em cruz de jacarandá que um cigano de Amargosa me vendeu por uns tostões de mel coado, vez que estava a passar por aperreio de dinheiro, não o Crucificado, mas o dito cigano, de nome Aristides. Espero que o senhor goste, e que o Cristo, como a Nossa Senhora da Conceição da Praia lá de cima da outra ponta desta correspondência, igualmente lhe proteja e guarde.

Estimado correligionário Augusto.

   Agradeço-lhe as devotadas e inspiradas preces, a imagem do Jesus Crucificado e peço-lhe que releve o tempo que demandei para responder a sua aflita carta, embora ressalve que o assunto de que ela trata, no caso, os seus imerecidos chifres, ainda que grave, foge às obrigações de um muito atarefado governador da Bahia ter que destrinchar. No entanto, sendo você o amigo fiel de tantos anos que é e sendo a nossa Todavia tão querida em minhas lembranças pessoais e eleitorais, notadamente estas, porei de lado os meus pruridos aflorados ante o inusitado da consulta e tentarei, na medida do possível, passar-lhe o que você me pede: conselho.
   Faço absoluta questão de ressalvar, <u>datas venias</u> todas feitas, minha absoluta inexperiência pessoal em labutar com encrenca dessa ordem. Fora a temática diversa — pôr e não levar

chifres! — talvez algumas muitas peraltices que protagonizei em passado não tão remoto assim, a termo de elas escaparem-me à memória privilegiada que tenho, permitissem exarar parecer, mas, lamento, são outros os tempos, são outros os personagens, foi outro o seu caso: levar chifres e não os pôr em quem quer que seja! Ademais, ressalto por verdadeiro ser, sem querer, de forma alguma, vangloriar-me ou cometer o vitupério do elogio em causa própria, que certas coisas que ACM faz, só ele as pode fazer. Ações e manobras, em todos os campos da vida, que com ACM deram certo, só certo deram porque foram engendradas por ACM, tiveram ACM como autor ou ator.

Sem delongas, vamos ao que interessa. A par do meu confesso e reiterado desconhecimento de caso no particular, dei-me o trabalho de selecionar entre servidores públicos que me cercam e merecem completa confiança, três que, pelos círculos que frequentam, social ou profissionalmente, conhecem a fundo cornos contumazes que souberam lidar com esse dissabor de forma madura, pacífica e profissional, tanto que, muitos deles, para não falar na maioria, optaram, após a traição amorosa, por continuar a levar a vida pacífica e mansamente junto às suas consortes, no aconchego do lar aviltado, sem vendetas, filhos apartados de pais, mágoas, partilhas judiciais de bens apressadas, atribuladas ou lesivas às partes, essas aporrinhações que sempre advêm, como queda pior que o coice, dos casos de infidelidade

conjugal. Para o invulgar correligionário sentir-
-se ainda mais seguro dos testemunhais que lhe
repassarei, por inteiro, na sequência dessa
missiva, a missão, por delicada, foi delegada em
caráter de sigilo máximo e urgência urgentíssima
a personalidades que lhe conhecem e por você
são conhecidas e igualmente respeitadas: o meu
secretário particular, doutor Kleber Monteiro;
o meu chefe da Casa Militar, coronel Alexandre
Mares; e por último o meu garçom Gago, há tantos
anos, todos eles, tão extremamente fiéis a mim que
só neles encontrei chão suficiente para confiar
esta questão de infidelidade que agora apoquenta
a cabeça do amigo e perturba a gestão do operoso
prefeito. O que eles me relataram por escrito e
em papel assinado são os anexos numerados (1, 2,
3) que acompanham esta carta, como se parte dela
fossem, e a encerro reafirmando a minha melhor
estima e augurando ao correligionário de tantos
anos dias de muita paz e concórdia, notadamente
junto à sua dedicada consorte, dona Assunção, não
sem antes expressar-lhe a minha mais irrestrita
solidariedade, embora me recuse a avaliar a dor
que o amigo está a sofrer por dela nunca ter
padecido, faço questão de esclarecer.

Com o meu abraço sempre fraterno, Antônio
Carlos Magalhães.

PS 1 — Não tome por conselho, mas por simples
sugestão: suma, faça-se ausente de Todavia por uns

tempos, não tanto que pareça fuga, não tão pouco que semelhe escape, mas suma, aproveite a desdita e dela faça desfrute, vá à Europa espraiar a mente por uns quinze dias com sua esposa.

PS 2 — Visite Paris, Roma e Lisboa, pelo menos. Leve de contrapeso esse tal Fernando Vita que você transformou em barnabé municipal a meu pedido. Ele carregar-lhe-á as valises e lhe poderá ser útil em outras necessidades. Sugestão de viagem aceita, na volta dê uma parada aqui na capital para uma prosa.

PS 3 — Tenha-me por franco, não por mal-agradecido: o Cristo Crucificado que você me mandou a título de mimo é fajuto e não tem o menor valor como obra de arte sacra. Para não exarar parecer apressado, levei-o a dois queridos e cultos amigos, professor Vivaldo Costa Lima e Mirabeau Sampaio, e ambos foram unânimes em afiançar que se trata, o Crucificado em questão, de uma cópia infame e mal paramentada de outro Cristo, este autêntico e valioso, que pertenceu ao renomado colecionador pernambucano Abelardo Rodrigues, cujo acervo post mortem adquiri aos herdeiros e hoje engrandece o Museu de Arte Sacra da Bahia, depois de uma árdua e longa batalha judicial e política que travei e venci contra o estado de Pernambuco e que ficou conhecida pelo povaréu de todo o Brasil como A Guerra dos Santos. Como sei implausível você reencontrar o tal do cigano Aristides, e lhe fazer, à força da lei ou a troco de porrada, aceitar de volta a imagem burlesca e devolver-lhe o numerário despendido, peço-lhe licença para repassá-la como presente de aniversário a um formidável publicitário que temos aqui, um tal de

Mentecaptos

Fernando Barros, que só para dar uma de porreta e tentar se parecer comigo deu-se a colecionar obras de arte sacra sem de arte sacra entender patavinas. E que Barros e o Cristo de fancaria do cigano malandréu carreguem essa cruz e não nós!

PS 4 — Na doce premissa de que se deve perder o amigo e não a piada, abuso da nossa amizade verdadeira para arriscar pilheriar com você: no caso do Cristo Crucificado que você me enviou, o cigano corneou a sua boa-fé... ACM.

ANEXO 1

Trata-se, excelência, de um pedido de conselho estapafúrdio, este, do gestor de Todavia, e olhe que já lhe vi receber pedido de conselho de pessoas as mais diversas e em campos ainda mais diversos, como a política, o direito, a medicina, a religião, o amor, para ficarmos em uns poucos. Indo ao fulcro da questão suscitada, o caso mais exemplar de conformismo de corno que conheço é um, que é de pleno conhecimento da excelência, que dele deve se recordar às gaitadas, o daquele desembargador de justiça baixinho que frequentava o Bridge Club da Bahia e que se ausentava de casa com frequência para as noitadas de carteado, não sem antes prover a geladeira do lar doce lar de sorvete de tapioca e coco verde da afamada Sorveteria da Ribeira, conhecedor que era do gosto que um famoso político, justo o que o corneava e o fizera desembargador, exatamente nesta ordem, nutria pela iguaria, de fato muito apreciada pelos que gostam de sorvete. Então, o que se depreende do fato? Tudo vale a pena quando a alma não é pequena: o nosso desembargador prossegue no seu pôquer diário; a madame se deleita em seu leito conjugal; o político corneador se entope de sorvete; o espanhol da Sorveteria da Ribeira fica cada dia mais rico e a vida segue sem maiores percalços senão os comentários maldosos de uns e outros mexeriqueiros, pelas esquinas e becos da cidade, que a Bahia, Vossa Excelência sabe-o muito bem, é uma terra de muros baixos. Não me sinto a cavalheiro para sugerir que o nosso Augustinho Braga faça o mesmo que o desembargador, porque aí não haveria sorvete suficiente em Todavia para adoçar a boca da multidão, que aprecia, segundo ele expõe, as delícias da dita Segunda-Dama mais que as de qualquer sorvete, mesmo que da Ribeira fosse! Então, que o prefeito de Todavia ponha-se em paz e passe a borracha no acontecido. Salvo melhor juízo, aconselho-o assim.

KLEBER MONTEIRO, SECRETÁRIO PARTICULAR

ANEXO 2

Dirige-se Vossa Excelência, conforme pedido subscrito de próprio punho, em caráter de urgência urgentíssima e confidencialidade máxima, ao seu

República dos Mentecaptos

chefe da Casa Militar, como sempre positivo, afirmativo e operante para atendê-lo com a presteza e o respeito que lhe devemos — eu e toda a tropa —, o que agora faço. Os muitos anos de caserna, senhor governador, levaram-me a conviver com inúmeros casos de cornos e corneadores entre os fardados, tão comuns eram, que se brincava quando se sabia da existência de chifres em cabeça de camaradas de corporação, dizia-se o coronel fulano de tal terá dificuldade para usar o quepe; o tenente tal vai furar a palma da mão direita ao bater continência; as galhas do major beltrano embaraçam-se com a bandeira nacional nos desfiles militares, conversas e brincadeiras dos ambientes de rancho, o senhor há de compreender, mas quase sempre de verdade comprovada; o povo, mesmo o dos quartéis, aumenta, mas não inventa. Tivemos um major muito burro, frouxo e despreparado para o serviço militar, mas muito bem aquinhoado por Deus por dispor de uma esposa por demais formosa em todos os sentidos falando, não a descrevo em pormenores para não demonstrar excessivo conhecimento de causa, o senhor, que de tudo sabe, há de compreender... Pois bem, de repente esse dito major passou a ser contemplado pelo seu comandante em chefe com a concessão de cursos de aprimoramento e missões para os quais ele não mostrava o menor preparo nem merecimento, e esses cursos e missões eram sempre em praças longínquas daqui da Bahia e do Brasil, e se estendiam por semanas, vezes por meses, e a oficialidade começou a falar que as tais ausências correspondiam à equivalente presença do comandante no usufruto da mulher do major, de repente toda a soldadesca já falava do caso sem respeito a nenhum regramento da hierarquia que rege a vida nos quartéis, as artimanhas do oficial superior mostraram-se ainda mais ousadas e tresloucadas ante a enormidade de condecorações que passou a enfeitar o peito do major, que de repente virou capitão, mais de repente ainda tenente, tenente-coronel e só não chegou a coronel fechado porque desconfiou da treita e pegou o comandante em trajes menores em sua casa, com a sua patroa em trajes ainda mais exíguos e minúsculos, foi um fuzuê dos maiores, o já tenente-coronel deu uma de macho, partiu para as chamadas vias de fato, isso tudo dentro do apartamento residencial do casal, onde o flagrante ocorreu, nos Dendezeiros, perto da nossa Vila Militar, de sorte que foi muito difícil restringir o ocorrido às quatro paredes, como se tentou, como forma de preservar a sagrada imagem da nossa gloriosa Polícia Militar, poupando--lhe tempo, chefe, preservo o nome do coronel comandante, hoje já na reserva remunerada, e o do tenente-coronel cornudo, agora coronel fechado, foi parte do acordo de aquieta e acomoda, ele agora comanda um batalhão importante na caatinga, a sua formosa esposa passa-lhe na cara a cada discussão ou entrevero conjugal que têm o quanto teve que se mexer para que ele de major chegasse a coronel, sem falar em medalhas e outras prebendas, passo-lhe, meu governador, o exemplo desse relato para mostrar ao prefeito Augusto, que tanto quanto o senhor eu estimo, que não convém se estressar com tão pouca coisa, da vida nada se leva, nem os chifres, quanto mais! Disponho-me, se assim desejar e achar próprio a excelência, a receber em audiência privada, privadíssima, para um aconselhamento, a moça que tantos percalços causa à vida pessoal e à gestão do prefeito de Todavia.

ALEXANDRE MARES, CORONEL PM, CHEFE DA CASA MILITAR

ANEXO 3

Chefe e amigo, o senhor me mete em cada enrascada dos diabos, logo eu, seu modesto Gago garçom! Dia desses o senhor me botou na condição de estagiário do curso de direito da Universidade Federal da Bahia para mandar um telegrama desaforado, esculhambando um ministro de tribunal superior de Brasília que lhe negara um pedido, dizendo que certo parecer jurídico que ele emitira, ou prolatara, sei lá — perdoe-me a palavra — era uma merda. Agora o senhor me vem com essa de aconselhar um prefeito que levou galhas, tomou corno. Mas, como o senhor mesmo diz, soldado no quartel quer ordem, e eu a cumprirei na medida das minhas modestas possibilidades e parcos conhecimentos, que no caso dos chifres presentes são tantos quantos eram os da doutrina do direito quando tive que mandar o telegrama desaforado ao magistrado federal. O senhor deve se lembrar do meu colega Anatólio, que a muitos governadores serviu como garçom desde os tempos em que eles ainda residiam no Palácio da Aclamação (o senhor brincava com ele, dizendo que ele servia cafezinho a governador desde os tempos do Seabra!). Pois bem, Anatólio — o senhor deve lembrar-se dele também dos tempos em que, jovem ainda, ia ao velho Tabaris — costumava dizer que chifres levados não se serra nem se desenrosca, como se de madeira fossem, como se roscas tivessem; transfere-se, passa-se adiante, de preferência corneando o corneador, porque — vá lá entender a razão — Anatólio acreditava que o pior corno era o corno do próprio corno... Agora, se o prefeito Augusto for cornear todos os que o cornearam, vai deixar de cuidar das suas obrigações com os munícipes e a municipalidade de Todavia e não vai fazer outra coisa na vida senão fornicar com as mulheres de quem o corneou, tantos foram eles! Não sei se satisfiz plenamente à missão que me foi passada.

GAGO, GARÇOM DO PALÁCIO DE ONDINA.

Foram poucos e frenéticos os dias que se passaram entre o recebimento da carta-resposta com anexos incluídos de ACM a AMB e o rebuliço dos primeiros preparativos e arrumares de malas para aquela que seria — como o próprio prefeito fez questão de mandar noticiar na coluna social de Luly, em *O Palládio* — a "primeira e histórica viagem de um alto mandatário de Todavia ao Velho Mundo, em busca de parcerias, ideias e recursos para incrementar o desenvolvimento socioeconômico do nosso município junto a organismos internacionais europeus, notadamente aqueles sediados em Paris, Roma e Lisboa", a nota, entretanto, não nominava os tais organismos, não aclarava que tipos de parcerias, muito menos as fontes ou montantes e jusantes dos recursos desejados, embora fosse precisa em publicar que "o périplo do prefeito de todos os todavienses por tais e tão distantes capitais da Europa despenderá cerca de quinze cansativos dias e nele o nosso gestor maior se fará acompanhar, como sempre, da Senhora Primeira-Dama do Município, dona Assunção Braga e do seu assessor especial Fernando Vita", gastando ainda algumas preciosas linhas, em negrito sublinhado,

Fernando Vîta

para assegurar que "a inserção do município de Todavia e do seu operoso prefeito nas altas esferas das organizações internacionais de cooperação é mais um feito que ficaremos todos a dever à ousadia e à coragem de AMB em não se amedrontar em transpor os mares e em voar as muitas léguas que nos distanciam das maiores capitais do mundo quando os superiores interesses do povo se apresentam e sobrepõem-se aos seus próprios", não faltando maledicentes para colocar em dúvida, de logo, as reais razões da viagem oficial da ilustre comitiva, um deles o destemido panfletista Amabílio Monteiro Opobre, sempre ele, que em uma das suas tradicionais filipetas escreveu: "Augusto Magalhães Braga quer nos fazer de quadradas e rematadas bestas, pois vai para Europa esquecer as desditas da sua paixão senil por uma pouco pudica conterrânea, de apelido *Segunda-Dama*, leva com ele a *Primeira* e ainda por cima um borra-botas que vive a soldo do nosso erário para nada de útil fazer, a não ser puxar os quimbas do mandrião! O despudorado alcaide diz que essa verdadeira esbórnia com o dinheiro público trará incontáveis ganhos para os munícipes... Truísmo em estado puro: Augusto Braga viajará mesmo para tentar encontrar, lá fora, em outras plagas mais avançadas nas artes da serralheria e da cutelaria, quiçá dos remendos e retoques de testeiras humanas, algum profissional que lhe serre as galhas sem deixar marcas visíveis, operação que demanda avanço e perícia que ainda não são disponíveis no Brasil".

Panfletos devidamente distribuídos e lidos pelos quatro cantos de Todavia, o prefeito como sempre se mostrou indignado, cobrou mais uma vez da chefa do Serviço de Informações Institucionais, dona Taiai Marins, varreduras sigilosas em busca de captar alguns podres e malfeitos do panfletista, coisas envolvendo pederastia, pedofilia e pouca ortodoxia no pagar as

República dos Mentecaptos

contas pessoais, contraídas no laborioso comércio local; do chefe da Casa Militar, o tenente-coronel Elson das Mercês, a agilização de tratativas para que Amabílio levasse uma boa e exemplar sova, dessas que mesmo que não deixem marcas visíveis no corpo, o entrecasco da alma jamais haverá de esquecer; o militar tentou tergiversar sobre a oportunidade e riscos institucionais de tão delicada e sigilosa operação, levou dedo e vitupérios mis na cara; quis do militar ainda o zeloso prefeito que fizesse voltar às burras do erário, não especificando por quais meios, pacíficos ou não, tanto faz, o integral numerário repassado ao cigano Aristides pelo Cristo Crucificado enviado como mimo ao governador, agora sabidamente diagnosticado como fajuto — o Cristo, não o governador! —, o tenente-coronel da reserva da brigada sergipana buscou moderada e cautelosamente aclarar que as imagens ditas raras e valiosas que o indivíduo Aristides Cigano comercializava procediam das mãos sacras do monsenhor Galvani, que as subtraía das ermas capelas rurais da sua paróquia, AMB então o mandou tomar na bunda e respeitar a pia honestidade do monsenhor, que deixasse o dito pelo não dito, que com padre não se briga nem querela; voltaram-se então as atenções de todos os chamados membros do estafe para os arranjos políticos e administrativos da viagem; Lourdinha Pereira, do Cerimonial, prepararia a solene despedida das autoridades e do povo em geral ao seu prefeito na estação do trem, com foguetes, algumas perorações empoladas, bênção eclesiástica do monsenhor Giuseppe Galvani e dobrados marciais da Sociedade Philarmônica Amantes da Lyra; o douto doutor Carlos Aurino, da Casa Civil, aviaria o termo de posse e de transmissão do cargo de prefeito ao tampão de sempre, o presidente da Câmara de Vereadores, o pau-mandado Ademar Jacinto de Queiroz; no mais, também autorizaria ele de próprio

Fernando Vîta

punho a emissão das diárias em dólares para os viajores, trem de ferro até São Roque do Paraguaçu, vapor da Bahiana até a Bahia, pé no jato e adeus Todavia, até mais logo Paris, primeira parada da *troika*, sim, de *troika* de desocupados Monteiro Opobre também apelidou nós três, AMB, dona Assunção e até mesmo eu, que na viagem ingressava como que Pilatos no Credo pelas mãos e pelas artes de Antônio Carlos Magalhães, este que, se me fez estar de castigo remunerado, por uns tempos memoriais, no verdadeiro quinto dos infernos onde nasci, justamente agora, como que me premiando pela conformada resiliência, me levava à Paris dos luízes e bonapartes, à Roma dos césares, dos papas e das sete colinas, à Lisboa de Camões, Amália e Pessoa, tudo em requinte de primeira classe, nas asas seguras da *Varig*, a custo zero para mim, lá sei de quanto para a prefeitura de Todavia e dos seus raros cidadãos que pagam impostos, aí, já na saída do gabinete de despacho do que despacha, dona Hilda, a recatada secretária, encomendou-me que lhe trouxesse de Portugal alguns pacotes de pastéis de Belém; Taiai não me pediu nada; Lourdinha, uns batons franceses de cores exóticas; tenente-coronel Elson, um par de sandálias japonesas das legítimas; Carlos Aurino, uma garrafa de conhaque *Rémy Martin*; seu Serapião, umas latas de sardinha e queijos da Serra da Estrela, não sem antes confabular-me: o Governo viaja!

Se participar dessa enobrecedora missão internacional, por determinação expressa do governador, me fez sentir ainda mais prestigiado, ancho e forte entre os que compunham o chamado secretariado da casa, levando-me a ser visto até mesmo com notável ciúme explícito ou resguardado por alguns deles, mais que isso demonstrou que ACM de alguma forma buscava me compensar pelo exílio involuntário a que me destinara, graças, em primeiro lugar, ao meu receio, como é já sabido, de ser

República dos Mentecaptos

enrabado por marujos de um navio petroleiro soviético, carentes de comer gente, em quimérica fuga transoceânica para escapar dos milicos do Brasil, e em segundo, à mercê da amizade que o governador da Bahia tinha pelo velho jornalista Heliogábalo Pinto Coelho, pois bem, ainda mais metido a gás com água e pimpão eu fiquei quando o próprio primeiro mandatário da Bahia recomendou-me, em breve telegrama, alguns locais onde eu não poderia deixar de levar o prefeito e senhora nas três capitais a visitar — em Paris, o Museu do Louvre; em Roma, a Capela Sistina; em Lisboa, o Chiado e a apresentação magistral, no dizer dele, do fado verdadeiramente tradicional no *Parreirinha de Alfama* —, mas não parou aí a maré de boas-novas que os chifres levados pelo nobre prefeito e a gratidão de Antônio Carlos Magalhães, direta ou indiretamente, me trariam, a começar por uma convocação peremptória de AMB para que eu participasse, antes da viagem e pela vez primeira, do que ele designava reunião da inteligência de Todavia, um grupo heterogêneo de personalidades locais, às quais o prefeito atribuía saberes superiores, uma espécie de conselho de sábios de província, com quem, pelo menos uma vez a cada mês ele se reunia em sua chamada residência oficial — uma chácara de nome Quitandinha, por ser uma réplica farsesca e em menor escala do hotel de igual graça da Petrópolis imperial do Rio de Janeiro — para discutir ideias, planos, trocar confidências, beber uns tantos goles e comer acepipes regionais, e eu fui, não sei se comi mais do que bebi, não lembro se bebi mais do que comi, não recordo se dei qualquer palpite, se opinei ou fiz-me silente, sinal evidente de que mais bebi do que comi, não vem ao caso, o certo é que de lá saí com uma convicção formada: Augusto Magalhães Braga, ou Braguinha, ou AMB, ou ainda o *Três Letrinhas* chamado é um veraz, fantástico e rico personagem romanesco, desses que se não existissem por certo teriam que ser inventados, e que se não o fossem pelas mágicas mãos de um Gabriel García Márquez — Todavia, ai de ti, quem dera! Se a Itabira do retrato na parede do Drummond para mim nunca fostes, jamais também haverás de ser a minha Macondo, abundam-lhe loucos como os *Buendía*, mas lhe falta, contudo, o Gabo genial! — teriam que ser pelas minhas, ditam os fados, sempre eles, mais uma vez.

Todavia, tantos dos tantos de mil novecentos e setenta e quantos.

    Meu tolerante editor e fraterno amigo Willian Novaes, desta vez não lhe estou a escrever, como em tantas outras o fiz, para pedir que convença, dobre as resistências dos dois Emediato que mandam na Geração Editorial — o Fernando pai e a Fernanda filha — no sentido de fazer de novo virar livro impresso, posto à venda nas mais conceituadas e respeitadas livrarias de todo o Brasil, quiçá do mundo, as caraminholas que me vêm à cabeça e eu assento ao papel, não, não lhe apenas peço, simplesmente de joelhos imploro o adjutório do seu prestígio junto aos seus dois formidáveis patrões supracitados, porque agora tenho a mais absoluta certeza de que os fados não me haverão de trair, estou a cavoucar uma história fantástica, estou a conviver quase todas as horas do dia com um magistral personagem de romance, já mourejo como um escravo de galé às laudas tantas de um novo livro, a meu ver, minha obra-prima, piramidal, definitiva — República dos Mentecaptos, uma hilariante história de mandriões, cortesãs, espertalhões e certos valdevinos de modo geral é o seu título, mas se você já não gostou por longo ele ser eu corro e mudo — vamos chegar ao estrelato, ao Olimpo das letras nacionais, aos pincaros da glória — para não desprezarmos este chavão tão gongórico e retumbante —, ganharemos todos os prêmios literários daqui e d'alhures, viraremos roteiros de filmes, minisséries e novelas, embolsaremos rios de dinheiro — cruzeiros, dólares, florins, escudos, rublos, pesetas, pesos, libras esterlinas, o caralho a catorze — em direitos autorais, Deus meu, já me vejo embalado em fardão tal qual um Machado redivivo, com a bunda oblonga a alisar uma cadeira da vetusta Academia Brasileira de Letras sem nem sequer cumprir o natural rito de passagem de ter que soltar uns peidos esfria-mingau na academia dos imortais daqui da Bahia para despertá-los de letárgicos sonos parnasianos, escute-me WN, meu editor único e exclusivo, pelo bem que você quer à sua mãe, não faça como já o fez tantas outras vezes, depois do fracasso retumbante de três obras minhas, também tidas pela minha imodéstia como primas, que a Geração editou; tenha calma, ainda não embole esta carta e jogue-a no lixo, leia-a até o fim, não deixe escapar pelas frestas

República dos Mentecaptos

das suas sábias mãos de mecenas dos escritores pobres e despossuídos essa oportunidade de ouro de lançar um raríssimo best-seller neste nosso Brasil de milhares que escrevem e de milhões que não leem, e aí, doce amigo, me permita prosseguir nesta minha catilinária, sem já atiçar à minha cara os seus argumentos de sempre — "Porra, Vita, lá vem você de novo com essa chorumela de Todavia, isso não faz filho, meu caro! Não come ninguém, chega! Será que já não bastam os milhares de exemplares dos seus livros encalhados, a entupir os depósitos da Geração mesmo depois de todos os esforços, sem sucesso, para os passarmos adiante, a qualquer preço e até sem preço algum, a troco de permuta, doação e escambo até? Não se ofenda nem melindre-se, mas mesmo a quilo, metro ou litro já quisemos mandar adiante os encalhes do Tirem a Doidinha da Sala Que Vai Começar a Novela, do Cartas Anônimas e de O Avião de Noé em jornada debalde, em breve virarão todos eles confetes — pedacinhos coloridos de saudade! — numa possante picotadora de papel, e já no carnaval que vem, quem sabe, nos folguedos, nos embalos de Momo e Baco, terão alguma serventia prática à humanidade, até que na quarta-feira de cinzas, cinzas virem ou enclausurem-se, resistentes ao sumiço absoluto, em algum recôndito de califon de colombina ou sumidouro de chapéu de pierrô abandonado" — perfeito, Willian, agradeço-lhe o pito, não lhe descarece razão, mas ainda assim vá até o fim dessa minha missiva, encareço.

Antes mesmo que o prezado responda que já não tem mais abrigo em sua contumaz paciência para aturar-me, já lhe vou podando as asas às negaças e acelerando o contar das minhas novidades de agora, sem tomar-lhe o precioso tempo em elencar detalhes, não sei se você já sabia, voltei a viver em Todavia, o que gera rima não solução, estou barnabé municipal lotado e nomeado como uma espécie de faz-tudo de uma figura de nome Augusto Magalhães Braga, o nosso prefeito, um sacana que se arvora a querer ser o Antônio Carlos Magalhães daqui, imagine a pretensão, o mínimo que ele fez foi autodenominar-se AMB como se um autêntico ACM fosse, veja até onde vai a petulância do corno, tem o folgadão o mesmo apego do Antônio Carlos pelo poder, adora saber de todas as futricas que o circundam, é tido como exímio fodedor, ama a ritualística e os rapapés do cargo, preza tanto mostrar poder, que tem até um sargento de milícia na sua apelidada Casa Militar exclusivamente para abrir-lhe e fechar-lhe a porta do carro preto de chapa branca de uso oficial a cada vez que nele embarca ou desembarca, e esse militar, de nome Bezerra, exerce a função de maçaneta na nomenclatura oficial da prefeitura, avalie que dia desses o que aqui faz e acontece me fez participar de uma reunião do que ele denomina conselho de sábios, formado pela dita fina flor da inteligência de Todavia, se é que tal mercadoria rara — inteligência — aqui logre sobreviver em meio a tanta burrice, mas pasme que, em meio à

República dos Mentecaptos

tertúlia eu, empanturrado de uísque e de comida até a porta do toba, tal como os demais assim ditos inteligentes presentes ouvi um deles, um puto de nome Acrélio Lira, um mulato cheio de treitas, sugerir como medida de perspicaz sabedoria — ele trouxe esboços, planilhas de custos, croquis, a porra toda para demonstrar! — que a municipalidade passasse a usar caixões de defuntos reaproveitáveis, não descartáveis, para sepultar os indigentes locais, isso como meio de economia para o erário e maior preservação das nossas matas, e lá nos demonstrou à farta como a coisa funcionaria na prática, seria um ataúde de madeira barata como qualquer outro ataúde, só que dobrável como esses guarda-chuvas modernosos que os chineses inventaram, de sorte que utilizado para levar o morto ao cemitério, que se fossem os anéis mas restassem os dedos, o morto que pousasse seu sono eterno em terra fria, não o funcional caixão que o transportou, este por ser dobrável em muitas dobras, viraria prático objeto a ser guardado em pouco espaço para futuras e infinitas reutilizações, vão-se os defuntos não as urnas funerárias, para meu pasmo, os demais sábios acharam a ideia formidável, supimpa mesmo, não se aprofundando o debate e as tratativas para implantá-la de imediato, porque um outro sábio, este de nome João Benedito, especialista na matéria por tocar com muito zelo e probidade a bicentenária Casa Adornativa, funerária que herdou do seu pai, que herdara do seu avô, que a herdara do seu bisavô, e por aí a cadeia sucessória de tão atraente comércio se vai pelos séculos já idos, dizia eu, o sábio João se emputeceu, esbravejou, esperneou, sepultando o projeto do caixão dobrável com um potente e definitivo argumento, vão à porra! — gritou, sem cerimônia — assim vocês fodem o meu comércio e a minha indústria, caralho, e eu, que vivo da morte, vou viver de quê, seus sabidos?!, dou esse exemplo para você sentir aonde estou metido, com quem estou convivendo, não sem antes já lhe deixar bem claro que os porquês da República ou dos Mentecaptos do título, você só os terá se for até o fim do que estou a escrever, se eu já lhe entregar o final, WN, sua pessoa, atarefada sempre, picará na primeira lixeira à mão não só esta minha correspondência quanto a maçaroca anexa, com os primeiros capítulos que já pari, a soldo de muita noite perdida, esperança e crença no sucesso, você quer ou não quer editar o meu República dos Mentecaptos? É pegar ou largar, Willian!

    Atenciosa e fraternamente grato, o seu humilde devedor, sempre assaz lembrada futura promessa literária da Geração Editorial e do Brasil, não necessária e obrigatoriamente nessa ordem, Fernando Vita.

E.T. 1 — Você já está a carecer de repor seu estoque de Orgia? Em caso afirmativo, não se acanhe, diga-me e eu lhe enviarei uma saca com umas quarenta e cinco garrafas.

República dos Mentecaptos

E.T. 2 — Sei que você, WN, vai se interessar por demais pelas partes do nosso futuro best-seller em que falo das tais trepadeiras incubadas de Todavia. Pois saiba que elas existem, não há ficção em minha trama, não! Até o fim de República haverei de as desencubar e não me esquecerei do amigo, caso renda putaria boa e valha a pena despachar umas duas ou três delas, em marinete de carreira, com passagem de ida e volta por minha conta, para você operar uns corres-nus aí em São Paulo, sozinho ou com amigos de sua estrita confiança.

E.T. 3 — Quanto à sua desabusada intolerância com relação aos meus livros que estão a mofar nos depósitos da Geração Editorial por abstinência de leitores, antes que você acione o botão triturador da sua máquina de fazer confetes, os ponha de volta nas gôndolas dos bons livreiros ou nas moitas de prosaicos sebistas. Quem sabe, um dia eles desencalham... Sem querer ser por demasia otimista, leia o que nos tempos de dom corno escreveu a poeta russa Marina Tsvetaeva (28-05-1877/11-08-1932), colega minha que também enfrentou esse mesmo desconforto: "Jogados em livrarias, grisalhos pelo pó e pelo tempo,/ Onde ninguém vê, ninguém procura, abre ou compra,/ Meus versos serão saboreados como os vinhos mais raros/ Quando forem velhos". Vamos dar tempo ao tempo, Willian. (O mesmo).

Já estamos nas nuvens há mais de hora e meia, só Deus sabe a quantos mil-pés de altura voamos sobre o imenso Atlântico, que se aparta Europa, França e Bahia, as aproxima de todas as áfricas do mundo, sei lá quantos mares ainda sobrevoaremos até novamente pôr os pés de andar em terra firme de Paris, bebemos, o alcaide e eu, uísque com gelo e mordiscamos finos canapés (tinha até blinis com caviar, mas AMB refugou, disse que o beluga semelhava a cocô de rato, cheirava a xibiu!) enquanto o jantar opíparo não é servido, a primeira-dama, dona Assunção Braga, deu preferência ao guaraná e às comidinhas mais caseiras e triviais que optou por trazer em um farnel — beijus de tapioca, umas fatias de bolo d'ovos de galinha da terra, umas broas de milho crocantes, um par de tangerinas e três bananas nanicas — por mor de não expor seu estômago sensível a acepipes de avião, desse modo justificou a cautela, às alturas tantas é que vim a tomar conhecimento de que ela voava pela vez primeira, já Augusto Magalhães Braga não, já tinha pongado em um turboélice da *Sadia* quando anos idos foi a Brasília para um encontro nacional de prefeitos, foram

Fernando Vîta

mais de três mil deles reunidos em um enxame só na capital federal do Brasil para gáudio e prazer dos donos de hotéis e motéis e maior alegria ainda das putas, garotas de programa e congêneres de toda a região do cerrado, AMB deu-me poucos detalhes da esbórnia que foi a fabulosa pândega municipalista em pleno planalto central do país, mas que ela foi boa, foi, garantiu-me, tanto que a partir de então nunca mais perdeu nenhum desses laborais eventos, falava baixo para que a primeira-dama nada ouvisse, aí chega a hora em que a prosa escasseia e o sono de dormir não chega, e eu, já na proa da ideia de eleger o meu chefe — e emergencial protetor — personagem de livro, busquei emendar assunto com assunto, o puro malte dos escoceses nos liberava a língua e a imaginação, falamos do Inglês que saíra da Inglaterra para viver em Todavia havia anos tantos e de lá nunca mais regressara, comprava em grosso fumo de fazer charuto, o secava e manocava para fins de exportação usando e abusando da mão de obra barata dos nossos despossuídos da sorte, era muito provido de inteligência o Inglês, tanto que ao assim chamado conselho de sábios pertencia, tinha o estrangeiro umas manias estranhas, a de jogar tênis contra si próprio era apenas uma delas, substituía impensáveis adversários locais por uma parede de tijolos, rebocada a cimento liso, este mesmo Inglês que fingia não entender o que se lhe dizia em português do Brasil, mas que não apresentava a menor dificuldade em fazer uso da nossa língua-mãe para passar a trolha, quando não a língua mesmo, a torto e a direito, nas vergonhas da mulherada nativa, exímio fornicador, calejado cunilinguista e desassuntado desencaminhador de meninas-moças, o sacana do Inglês; conversamos muito sobre Ademar Jacinto de Queiroz, um dos prefeitos-tampões de sempre e sobre o sonho que esse

Mentecaptos

tabelião de cartório nutria de um dia, por ser o mais antigo entre eles, deixar de ser tampão e galgar, de vez, o lugar de Braguinha na prefeitura, sonho quimérico o de Ademar, AMB sempre cria que o dócil pau-mandado, uma vez sentado no trono de Todavia não na condição de reserva, mas na de titular, jamais devolveria o poder ao seu protetor, ACM mesmo sempre alertou Augustinho, em política a traição é uma arte, é pior que no amor, político trai por vício, mania e até por distração, você está a confiar num sacana qualquer que lhe jura eterna fidelidade canina, dá-lhe apoio, o faz de um merdinha desimportante num poderoso e bem não se apossa do mando o antigo mandado pau já vai querer mandar mais do que o que antes lhe mandava, aí desfiamos, os dois, AMB e eu, o longo rosário de traições que ganharam lugar de destaque na história da política brasileira, em nível municipal, estadual e federal, sei de um Pedrinho de Itiruçu que traiu um deputado César, manejando os votos que lhe dava para outro, o Borges, só porque, Pedrinho hipertenso crônico, em almoço na casa do primeiro foi-lhe servida uma feijoada por demais salgada, veja que até mesmo o meu compadre ACM — argumentou o prefeito — que dizem governar a Bahia com o dinheiro em uma mão e o chicote na outra, já elegeu postes que mal foram fincados em palácio e já queriam ter luz própria, foi assim com Adalberto Campos e João Marçal, ambos casados com mulheres de personalidade forte, elas foram as primeiras a cantarolar pelos corredores e acolhedores jardins do Palácio de Ondina o *com tiranos não convivem brasileiros corações* do libertário *Hino ao Dois de Julho*, aí Antônio Carlos, que sempre teve olhos, narizes e ouvidos atentos na morada oficial dos governadores mesmo em lá não estando a morar, e sabia até dos peidos que soltavam os seus eventuais moradores que dirá, tomava ciência e ficava puto, de sorte que o que manda na Bahia passou a viver, em termos de política e sucessão, com um olho no padre e outro na missa, que gato escaldado tem medo até de água fria; fomos que fomos nesse enredo de falar de traídos e traidores, eis que, macambúzio, o prefeito acha de se lembrar de Ariana, *Belariana*, a *Segunda-Dama*, as lágrimas lhe molharam o rosto, dona Assunção perguntou o que era, ele disse que não era nada, talvez o lacrimário que do nada se abriu tivesse a ver com aeroplanos e alturas, justificou-se o chorão, então cuidei de mudar o rumo da conversa; falamos de aliados e de adversários, de amigos e de inimigos, de honestos e de ladrões, mais destes que daqueles, em política os segundos abundam, os primeiros são frutas raras, veja que tem prefeito que passa ponte onde não tem rio, faz rodagem ligando o nada a coisa nenhuma, caia de cal branca muros de cemitério fantasma, aterra até lagoa seca, aproveitei a deixa para exibir erudição e sapiência e contei ao meu companheiro de viagem a história real de um deles, de Palmeiras dos Índios, nas Alagoas, que de tão honesto, em mil novecentos e vinte e oito escreveu ao governador da hora um relatório de prestação de contas da sua gestão tão circunstanciado, detalhado e rico literariamente que até virou livro que todo gestor deveria ter como verdadeiro catecismo, quem era esse colega, quis saber AMB, e eu lhe disse que se chamava Graciliano Ramos, tinha trinta e sete anos à época, virou escritor famoso, já morreu faz tempo, e assim, quando nos demos por conta, o *DC-10* da *Varig* estava justo a sobrevoar a imaginária Linha do Equador, então uma meia dúzia de marinheiros de primeira viagem — dona Assunção Braga entre eles — recebeu das mãos de um tripulante entediado o diploma alusivo ao feito, palmas para todos, mais uísque a bordo para os contumazes *pés de cana* embarcados, pagamos

República dos Mentecaptos

caro por essa praga de passagem de primeira, a prefeitura de Todavia, claro, estamos a serviço dela, em missão oficial, doutor Vita, temos que usufruir e desfrutar, então Augusto Braga começou a falar do futuro, dos próximos passos a serem dados na política, já não mais tinha paciência para a vida de mandão de província, convinha preparar a sua sucessão, adestrar o Augusto Magalhães Braga Júnior para um dia vir a suceder-lhe à frente da prefeitura, isso seria uma merda por ser o Júnior, no seu próprio dizer, um absoluto e irresoluto incapaz, desses que não conseguem andar e chupar rolete de cana ao mesmo tempo, mas que jeito, quando cão não se tem, que se cace com gato, ademais só de aliados fiéis — e que depois em infiéis infalivelmente viriam a se tornar — desejando lhe herdar o mando, existia uma multidão capaz de lotar campos de bola, é assim mesmo em política, meu caro doutor Vita, tem mais gente querendo sentar a bunda nas cadeiras do poder que a quantidade de cadeiras existente, e você fica sem ter como contentar a um sem descontentar o outro, nem Cristo agradou a todos; AMB estava animado, seguiu na prosa, bem que o Inglês tem razão, veja que um dia estávamos ao fim e ao cabo de uma dessas intermináveis reuniões temporãs do conselho de sábios — muitas das nossas inteligências raras de Todavia já se tinham ido a lençóis em suas casas — quando o filho da puta do Inglês, não sei se por pilhéria ou falando sério, me apareceu, veja, doutor Vita, com umas conversas que me soaram assim de bate pronto absurdas, mas que depois, refletindo e pensando e matutando, em outras tertúlias que sempre tivemos, eu e ele sozinhos, ao fim dos nossos convescotes mensais, ali ao pé do moquém a traçar uma lasca de paca moqueada ou um sobrecu de frango ao palito, naquela hora em que a nossa imaginação faz como este avião faz agora, voa,

Fernando Vîta

voa, vai às alturas, livre como um passarinho, ainda mais — e você pôde já testemunhar — que em tais encontros bebemos como esponjas sedentas, comemos como um abade, no caso do chibungo do Inglês então, nem se fala, a gente fica ali a moquear e a comer tira-gosto, e que venha mais uma dose, e que venha mais prosa, só a noite, os sapos, os grilos e os vagalumes por testemunhas, o dia amanhece e a gente ali ao pé do moquém, comendo e bebendo, pois bem, a lua se pondo e o sol nascendo e o Inglês do armazém de beneficiar fumo, com aquele seu palavreado já enrolado quando são e mais enrolado ainda quando com o cu cheio de cachaça, pergunta-me por que eu, em sendo tão amigo e tão próximo, tão íntimo, tão da confiança do meu futuro compadre Antônio Carlos Magalhães, não lhe dava um conselho: transformar a Bahia de estado em república? Confesso que de logo não vi assim grandes vantagens políticas, sociais ou econômicas nessa inusitada transmutação — um estado virar república! —, nem as quis saber ou avaliar naquelas circunstâncias, o Inglês já estava bêbado que só a porra e eu pior ainda que ele para levar aquela pensata a termo, mas desde então ela não me sai da cabeça, vai e volta como uma dor de corno, mas será que estou lhe aporreando com essas conversas destrambelhadas, sem princípio, meio ou fim, meu caro doutor Fernando Vita? Acho que faríamos melhor em tirar uma soneca para não chegarmos a Paris desmilinguidos. E então Augustinho Braga cochilou e roncou para um lado, eu cochilei e não sei se ronquei para outro — convenhamos, não dá para um mesmo dorminhoco dormir e escutar seus próprios roncos! —, dona Assunção já dormia e também roncava havia horas, desde que atravessamos a Linha do Equador, quando acordamos já era dia lá fora e as moças bonitas de bordo já nos serviam um

República dos Mentecaptos

café da manhã, tão vistoso e notável quanto os seus sorrisos alvares, como são por hábito ou vício os de todas as aeromoças de todos os céus, e quem quiser que se fie neles.

O avião quase plana majestoso acima dos campos cultivados de tubérculos que antecedem por minutos que parecem séculos o toque ansiado e convulso das rodas do seu trem de pouso, abaixado e travado, *flaps* arriados, como dizem os aeronautas nos procedimentos finais de aterrissagem, sobre a pista do aeroporto de Orly, e a minha cabeça mistura duas sensações distintas, mas conciliáveis, a de estar chegando à Europa pela primeira vez, e a de, definitivamente, poder conviver muito de pertinho com o personagem pronto e acabado do meu próximo livro, justo esta maçaroca de papel impresso, encadernado e encapado que o meu impertinente e curioso leitor agora tem às mãos e, espero, também às vistas d'olhos, o prefeito Augusto Magalhães Braga, o AMB que se esforça por demais da conta para ser um ACM pronto e acabado, cagado e cuspido, se vontade em demasia matasse gente esse Augustinho de Todavia era um homem morto, agora mais ainda um personagem romanceiro por encafifar na cabeça essa pensata descompensada do Inglês que destoca e manoca fumo, joga tênis contra ele mesmo e cruza em esteiras, relvados, camas toscas e até encostado em

Fernando Vîta

postes de rua com as mucamas coitadinhas a que dá emprego raro e baixa renda, pois bem, já no carro de praça que leva a nós três em demanda do hotel que nos abrigará na Rue de Vaugirard de Paris, não tão caro esse que beirasse palácio de barão, não tão barato que espelunca de fodido parecesse, dona Assunção de olho na paisagem, atenta, curiosa, silente, ela que por primeiro avistou, lá longe, sob os céus de Paris, a Torre Eiffel e deu o brado de torre à vista, o prefeito de Todavia e eu a falar da transmutação da Bahia de republicano estado federativo do Brasil em república ela mesma, não sei se por conta dos fusos defasados em horas entre Brasil e França, não sei se por causa do álcool ingerido a bordo em generosas porções industriais que ainda se mesclava aos nossos sangues, a curiosidade estava acesa e vivaz, eu perguntava de modo curto e preciso, AMB soltava a imaginação e as palavras, veja, doutor Vita, que mundo novo e fascinante, que mão na roda à nossa política baiana, que favor o meu futuro compadre ACM ficaria a me dever, que imensa gratidão, eterna e ainda de maior bitola a mim teria, se a ele levássemos, de uma forma esmiuçada e estruturada, posta em letra no papel, essa magnífica ideia do Inglês, agora também já minha de plena posse e direito, a da transformação da Bahia de estado em república, e o que de práticos resultados políticos essa guinada traria?, indaguei, pragmático, a primeira e mais significativa, explicou-me Augustinho, o nosso chefe Antônio Carlos Magalhães deixa de ser governador do estado da Bahia e passa a ser presidente da República Federativa da Bahia, ele que anda a repetir à exaustão da voz aos seus oráculos que jamais chegaria à Presidência da República do Brasil por isso só se dar por artes do destino, veja o Dutra, o Hermes, o Getúlio, o Castelo, cada um deles a seu tempo e hora presidente se tornou pelas mãos do destino,

República dos Mentecaptos

estavam na beira da estrada, o cavalo passou encilhado, e eles, cientes de que o equino de nome Destino de novo arreado não passaria, trataram de pongar, se aprumar na sela e não descuidar dos arreios, das rédeas em primeiro plano, é assim, meu caro, ACM prega e eu fiel escuto, ser presidente da República é destino, e como nem ele nem eu temos vida eterna para esperar que o destino resolva as coisas por nós, que as resolvamos nós mesmos, eu com a ideia que estamos agora a idealizar, ele com o jeitão dele de ajeitar as coisas, na maciota ou na porrada, aí a Bahia vira república e que se foda o resto do país que a gente nem está aí pra esse se foder nacional, ademais, doutor Vita, veja como as coisas se acomodam, se encaixam, se entrelaçam, se harmonizam, a Bahia vira república, os seus centenas de municípios, estados, os seus milhares de distritos, municípios, os caralhões de vilas, distritos, os porradões de povoados, vilas, as freguesias transformam-se em povoados, estes em freguesias, de sorte que não haverá jamais em tempo algum de faltar poder pra senhor ninguém, quem hoje é governador da Bahia, no caso ACM, vira o presidente da Bahia; quem é prefeito de Todavia, este que vos fala, governador do estado de Todavia; quem manda nos distritos — meu correligionário Nonô de Vargem Grande é um deles —, vira prefeito de Vargem Grande; já Aureliano das Angélicas, que não é porra nenhuma, quem sabe, se faz de mandrião em Santana do Rio da Dona, e assim por diante a coisa anda, não faltará posição de mando para quem quer que seja, do picão lá de cima ao piquinha aqui de baixo, temos um balaio de cargos a carecer de autoridades, a oferta vai de presidente de república a inspetor de quarteirão, de governador de estado a cura de freguesia, veja que fartura, doutor Vita, que abundância, que maravilha maravilhosa, com tanto poder a ser exercido, não sobrará ninguém para fazer

Fernando Vîta

oposição, e mais, com essa imensidão de novas autoridades em diferentes níveis, não escasseará saco para os que gostam de puxar saco, babar ovos, lamber botas, além do que, vai que outros estados desse Brasil destamanhado resolvam se abraçar, como sempre fazem desde que o Brasil é o Brasil, ao exemplo da mãe-preta Bahia e também se deem por arretados e virem igualmente países, aí vai ser um colosso, cada um deles terá e guardará as suas próprias fronteiras, vai ter presidência da república mais que saúvas, bem mais que chuchu na cerca, vai dar e sobrar para os tantos que estão debalde no aguardo do cavalo Destino passar encilhado na beira da rodagem, não vai ter Itamarati que dê conta de formar uma enxurrada de novos diplomatas para pentear aranhas e enxugar gelo em tantas novas embaixadas mundaréu de Deus afora, pense que beleza, meu caro doutor, o sujeito sai da Bahia e vai pro Sergipe onde nosso tenente-coronel Elson sentou praça na Polícia Militar — e lembre que elas, as polícias militares, de meras policiazinhas, virarão exércitos nacionais, que polícias militares apenas terão os futuros estados! — e tem que fazer como a gente faz agora, traz um passaporte na algibeira para pedir a licença de um visto e só então poder entrar, que pompa!, que circunstância!, aquela bostinha que é o estado de Sergipe, país, o município de Frei Paulo, terra da mãe do sargento Bezerra, que dizem ter sido rapariga de portas abertas e freguesia avantajada, estado, que esplendor, que fartura, que promissão!, sem falar que a gente, quando comer baião de dois, por exemplo, cartará, pavoneará, este rango é importado, veio de outro país, do estrangeiro, lá da Paraíba, o mesmo cartaz terão os de lá, ao jogar o nosso azeite de dendê às suas moquecas, o importamos da Bahia, pagamos impostos altíssimos para tanto, um litro custa os olhos da cara, aí o carro de praça chega ao destino, cuido de catar as malas, pagar o custo do carreto a um puto com cara de vietnamita fugado que é o seu motorista, tudo em francos franceses, e como ficará a nossa moeda, prefeito Braguinha, o nosso capilé, a bufunfa falada, o brasileiríssimo cruzeiro de nome e quase valor nenhum, como ficará? Ora, doutor Vita! Isso se resolve depois, a Deus pertence. Roma não se fez em um dia, cada futuro país que cuide de inventar sua porra de seu dinheiro, caralho, e no caso da nossa futura República Federativa da Bahia já tenho na cabeça que nome dar-lhe: aceeme! Quanto custa uma quarta de farinha de mandioca? Dez aceemes e trinta aceeminhos! Um coco verde gelado: um aceeme e vinte aceeminhos! Um acarajé com pimenta, vatapá e camarão: cinco aceemes! E que Sergipe crie também o seu padrão monetário e chame seu cruzeiro de hoje de caranguejo ou gabiru, por hipótese, pouca diferença se me faz, problema da República de Sergipe e do sacana que dela vire presidente, então abriu a porta e saltou do carro meu quase herói de livro, faltou-lhe o maçaneta Bezerra para fechá-la, ele mesmo, por carecer do costume de abrir e fechar portas de carro, o fez de forma tão brusca e atabalhoada que os olhinhos apertadinhos com medo de raios do sol do corno com fachada de vietnamita fugado se escancararam como jamais o fizeram em toda a sua vida.

Bateu-me na hora uma saudade nostálgica do coco verde e do acarajé. E um temor de que o juízo de Augusto Magalhães Braga já não estivesse a funcionar à perfeição, mas não lhe disse nada para não espantar o meu emergente personagem. Alojamo-nos, todos, espraiamos por um tempo no hotel, até que mais tarde fôssemos ver Paris lá fora, ligados em não deixar de ir aonde o futuro presidente da Bahia mandou que nós fôssemos.

Imensa, de dobrar quarteirão, a fila para comprar ingresso e visitar o Museu do Louvre, mas dela fez pouco-caso e tenência o prefeito de Todavia, fila grande mesmo é a que ele usa enfrentar a cada novo penúltimo dia do ano, na Cidade da Bahia, para abraçar e apertar as mãos do governador ACM, em ato público oficial, constante do calendário político do estado, tido pelo populacho como o dia de beijar os pés do santo, apesar de só uns poucos insanos chegarem a tanto, ao rés do chão, para celebrar o soba *Cabeça Branca* fora d'África em outra África a mandar que só ele só, vá gostar de dar ordem-unida e desunida assim lá na Bahia, justo o Antônio Carlos Primeiro e Único, aí vem gente de todos os cantos do nosso imenso estadão, maior que a França que é país — políticos, apolíticos, abastados, zés-ninguém, joões-alguém, padres, freiras, mães, pais e filhas de santo, ogãs, babalorixás, quiromantes e cartomantes, letrados e iletrados, batizados e pagãos, cristãos-velhos e novos, escritores sem livros, poetas sem rimas, cineastas sem filmes —, essa fauna comum a toda a Bahia posta ordeira e mansamente em linha de um a um, parecendo infindável corda de guaiamuns, dando

Fernando Vîta

a volta ao Forte de São Pedro, contornando o Caboclo do Campo Grande, indo como se fosse para o Canela da Reitoria, voltando pela porta do Castro Alves teatro, beirando os Aflitos, passeando pelo Passeio Público do velho Vila Velha até chegar ao Palácio da Aclamação, alguns madrugam para apertar e beijar as mãos do que as gosta bem apertadas e melhor ainda beijadas, a romaria começa às duas da tarde e vai até perto da meia-noite, coisa mais besta de se ver, tem apertador de mão que volta ao fim do cordão humano uma, duas, três vezes até só para poder melhor agradar a ACM, pois bem, já ali na fila do Louvre, AMB, dona Assunção e eu, a prosa ainda girava em torno da ideia do Inglês, a primeira-dama a ela não dispensava maior importância nem curiosidade, distraía-se a admirar o Sena, tão mais pródigo em água, beleza, história e barcos que o Rio da Dona, este riozinho mixuruca que malabareia em mil curvas e desvios só para não passar por dentro de Todavia, já o Sena não, olhem, apreciem, parece que se ele não cruzasse por conta própria e gosto toda a Paris, Rio Sena não seria, quando virarmos estado, meu caro doutor Vita, também vou querer fazer o meu beija-pés, virarei governador de Todavia, só não quero é que seja em dia igual ao do meu futuro compadre ACM, espero em Deus que já presidente da República da Bahia, não posso deixar de estar lá, como sempre estive desde que o beija-pés de ACM existe, eu me dou com meu futuro quase compadre desde que ele entrou na política e eu também, alembro como se fosse hoje, a cabeça dele ainda não era branquinha, os dois dentinhos da parte de cima da fachada da dentição eram apartados como os de um filhote de coelho, novo ACM já era porradeiro, dizem até que foi membro de destaque da famosa turma do Campo da Pólvora, gente de muito brigar em rua, uma vez fui com ele a um comício em São Roque do Bate Quente, ele era como eu

República dos Mentecaptos

da UDN, uns sacanas do PSD resolveram perturbar seu discurso botando um alto-falante para tocar bolero de Alcides Gerardi na altura toda enquanto ele falava, ACM parou a fala empolada e vibrante, desceu do palanque, me disse vamos ali Augustinho, juntos nós fomos, quebramos a porra do serviço de alto-falantes todinho, demos uns sopapos no locutor — um desaforado chamado Abrahão Brito — e voltamos ao comício na maior mansidão, ele concluiu o discurso, os do PSD estrilaram, mas era a UDN que mandava na polícia, não deu em nada, doutor Vita, então nós começamos a visita ao Louvre, passamos mais tempo na fila que dentro do museu, estávamos ali muito mais para cumprir uma sugestão de governador em unida ordem virada que mesmo para deslumbrar-se com o rico acervo, dona Assunção apreciou demais os girassóis de Van Gogh, o prefeito Augustinho achou que a Mona Lisa de Leonardo da Vinci era a cara toda, tinha a aparência de uma conhecida dele, só que do nome desta criatura não estava a se lembrar, porra de memória que começa a falsear!, praguejou, já ao lado da Vênus de Milo chamou-me a um canto e garantiu-me que os peitos e a bunda da estátua grega eram cagados e cuspidos os da Iolete, olhe lá se os da Iolete não forem mais apetitosos, seu doutor Vita, só que a Iolete de Todavia tem os dois braços para se atracar com quem com ela esteja a executar uma trepada e a de Milo do Louvre é cotó, e quem é essa Iolete tão formosa, essa vênus calipígia em carne e osso, prefeito? eu quis saber, é uma das trepadeiras incubadas de Todavia, fez fama em circo e agora deita na cama, morena toda aprumada, prometo-lhe que antes de virar governador vou diligenciar dona Taiaí para ela lhe apresentar a essa moça, o que já lhe será o bastante para você havê-la em foda, basta ter conversa que cative, você vai ver se não é uma Vênus de Milo em carne e osso e com braços,

Fernando Vîta

só tem uma coisa, você terá que dar um jeito de levar a femagem para comer em outra freguesia, em Todavia nenhuma das trepadeiras incubadas cede os baixios para ninguém, por isso que são tidas por incubadas, dão seus pulinhos, que não são de ferro, mas não querem cair em boca de matildes, são elas seis, talvez sete, não sei se cinco, engabelou-me AMB, mas vale muito a pena conhecê-las, de uma em uma, de duas em duas, no máximo de três em três, mais do que isso não tem cristão que dê conta de tanta mulher bonita e gostosa no mesmo catre, as incubadas, doutor Vita, poucos as têm nos prazeres, muitos as querem e desejam ardentemente, raros são os abençoados que as desfrutam debaixo de muito petitório e de sete véus, eu, mesmo sendo autoridade, só frequentei umas quatro delas, que as outras esperem e que Deus me dê vida e saúde para eu não morrer sem frequentá-las todas, de preferência juntas, na mesma empreitada, e assim acabou a visita ao Louvre. Fomos andando até a catedral da madona de Notre Dame de Paris, a primeira-dama de Todavia orou e acendeu velas na intenção do filho Augusto Magalhães Júnior, um menino que parecia teimar em não crescer em juízo, rapaz de pouco estudo e menos ideias ainda, um bobalhão na corte, não fora o pai prefeito não sei nem o que dele seria — lamentou-se, piedosa, dona Assunção, terço às mãos —, AMB apreciou fugazmente os vitrais da catedral, eles são belos, mostrava-se já inquieto com a paz do templo, apressamos o passo e então partimos os três, famintos, em busca de um restaurante, o senegalês do carro de praça nos levou a um muito ajeitadinho, na Rue du Marbeuf, de nome *Chez André*, lá, o prefeito atracou-se com um pernil de cordeiro, dona Assunção com um guisado de coelho e eu com um *coq au vin*, tomamos um *Bordeaux* de boa safra, paguei a conta para fazer uma generosa presença

República dos Mentecaptos

perante o meu mais promissor personagem e voltamos todos para o hotel, onde Augusto Braga viu uma extenuada e exemplar esposa ir para os aposentos, convidou-me para um café e um conhaque, aceitei de pronto, e ele passou a narrar a necessidade urgente de pensarmos juntos em como seria a bandeira e o brasão do futuro estado de Todavia, nada me veio à cabeça assim de repente, mas à dele sim, como se lá eles — brasão e bandeira — já estivessem há muito craniados e armazenados, o pavilhão estadual — previu — teria a cor amarelo-ouro como fundo, a representar a exuberância e a beleza, quando aberta a ponto de degustação, da fruta que mais produzimos em nosso imenso território, a jaca-mole, aqui e ali folhas de fumo, braçadas de *angélicas* e *palmas de Santa Rita*, além de alguns cachos de um coquinho singelo de nome mané véio que também tanto é farto em nossos campos, todos esses são produtos que nosso município manda às braçadas para as feiras livres do ainda estado da Bahia, eis aí a pauta de produtos exportáveis do futuro estado de Todavia, meu bom doutor Fernando Vita, aí jogamos no aqui e no acolá do campo amarelo-jaca-mole uns papa-capins a voar como representantes da nossa fauna, talvez também uns casais de saguis e de tatus-pebas, eis pronta e acabada uma puta de uma bandeira estadual de causar inveja a qualquer gentio patriota, agora bebamos mais um conhaque, depois vamos dormir, que noite passada só desengarrafamos, comemos e conversamos, quase. Augustinho entornou o seu cálice de uma golada só, fiz o mesmo, e até amanhã, prefeito, até amanhã, doutor jornalista.

Eu já estava em ponto de mergulhar em uma madorna profunda quando o telefone toca. Era Augustinho Braga, apenas para lembrar-me de pensar também no brasão e no futuro hino do estado de Todavia, confesso que perdi o sono, não pensei

Fernando Vîta

nem em brasão nem em porra de hino algum, e sim no perfeito e completo mentecapto que se revelava o prefeito para quem eu estava a cumprir tarefas, e mais ainda, no meu personagem de romance, bem mais neste que naquele, claro fique.

O jeito plácido de correr das suas águas, as luzes muitas de Paris a tremeluzir nas suas bordas fizeram o Sena, mais que os girassóis de Van Gogh, mais que o guisado de coelho do *Chez André*, mais até que a icônica Eiffel encantar e enlevar o espírito simplório de dona Assunção — isso é que é rio que se respeite, não aquele riozinho quase riacho, cheio de cocô, pobre de piaus e tainhas, rico de vermes e parasitas de todas as qualidades e feitios, esse Sena não, dá vontade de a gente pegar um caneco de alumínio, ir até a sua beirada, lhe encher até a boca da sua água clarinha, frienta, gelada naturalmente sem carecer de geladeira e matar a sede em dia de calor! —, ela extasiou-se, e de tanto a primeira-dama comparar o rio que já rio nasce na meseta de Langres, passeia pomposo por diversa França e deságua no Atlântico com o da Dona, que começa córrego lá nas lombadas corcovas da Serra da Jiboia, passa, batido, a jiboiar langoroso, por fora de Todavia, engrossa, como intruso carona, besteirinha de nada, o curso do Jaguaripe, este sim que vai dar no mesmo oceano que acolhe o colega rio francês, que me dei por obrigado a acompanhá-la e ao prefeito Braguinha em um

Fernando Vîta

passeio de *bateaux mouche,* a ver as duas margens da cidade em fim de tarde, a escutar Édith Piaf a cantar *La Vie En Rose* no som ambiente da embarcação, dona Assunção — juro, eu vi com os meus próprios olhos! — foi às lagrimas, o prefeito também, Deus é quem sabe por conta de que chorou cada um, eu não chorei nem quis interromper o chorar alheio, chororô findo a primeira-dama tirou fotos de *rive gauche* e *rive droite* com uma inocente *Kodak Rio 400,* o prefeito nada fotografou nem quis ser fotografado, taça de *Beaujolais Noveau* firmemente entrelaçada entre os dedos, retomou o enredo da ideia do Inglês de o estado da Bahia virar república, e de o município de Todavia virar estado, ACM presidente de um, AMB governador do outro, veja bem que gigantesco empurrão haveremos de dar no trem da história do Brasil, e olhe lá se não do mundo, doutor Vita!, imagine o rodar da roda d'água do moinho do tempo no que é pertinente à nossa justiça, por exemplo, com tanto promotor toga curta querendo virar juiz, um mundo de juiz aspirando a vir a ser desembargador, multidões de desembargadores a sonhar com ser ministros togados nos ditos tribunais superiores, porra, de uma canetada só meu compadre ACM mataria essa charada, poria termo a esse imbróglio de tanta gente a querer, brigar por ter, imaginar, aspirar, matar até a própria mãe pra ser, então se maravilhe com o porvir, caralho, comarca vira tribunal de justiça, tribunal adiciona um superior ao nome, vai ser um porrilhão de esseteéfe pra uma banda, uma carreta jamanta de essetejota pra outra, sem se falar de teessetê, teesseé e tantos outros teésses e essetês de menor quilate e força, entrâncias e mais entrâncias em mil fóruns, varas e mais varas em cada esquina — de família, da fazenda, de menores, de adultos, das execuções penais, de apelação, de recursos, elas são tantas que me fogem à conta — com uma

República dos
Mentecaptos

cambulhada de meirinhos a brotar em pés de mato de roçado como se fosse carrapicho, você bem sabe, abundam os teésses e esseteésses qualquer coisa nos países todos do mundo, pergunte quantos deles existem de portas abertas aqui na França desde antes da Bastilha e da guilhotina e você vai se assombrar, são centenas no Brasil, milhares deles acolá, haverão de ser grosas na República da Bahia, *data venia*, não vai ter alfaiate que dê cabo de costurar tanta beca pra juízes e ministros principiantes, novinhos em folha, não há de haver tipografias a dar conta de imprimir tantas novas constituições estaduais e nacionais, códigos de variegados direitos, as faculdades terão que se virar em mil para diplomar uma enxurrada sem conta de novos doutores, Jesus, meu Deus, isso é muito bom!, e em n'Ele se falando — e aí entrei eu no delírio transformador de Augustinho Braga e arrematei — não se pode esquecer da Sua casa, a Santa Madre Igreja Católica, nela padre vira monsenhor, monsenhor vira cônego, cônego vira bispo, bispo arcebispo, arcebispo cardeal, cardeal cardeal-primaz, primaz pula de pronto para núncio apostólico, e se o nosso ACM um dia amanhecer puto e se retar, manda Roma se foder e vira papa ele mesmo, sua santidade Antônio Carlos Primeiro, meu prefeito, aí AMB contra-argumentou que eu estava brincando com coisa séria, eu disse que não troçava, que apenas estava a lembrar que a Igreja Católica de Deus, tão poderosa e influente no planeta, vezes até mais que o próprio Deus, também entraria na nova configuração política em gestação a fomentar o confeccionar de batinas, sobrepelizes, peregrinetas, capelos, barretes, borlas, faixas de cores distintas, solidéus, alvas, mitras e outros arranjos que ornam, na hierarquia do Vaticano, de seminarista sotaina curta a papa mangangão juramentado perante os céus, Virgem Maria, retomou o alcaide

Fernando Vîta

o timão da conversa, o que vai se ter de criar de novos seminários maiores e menores será uma enormidade, meu caro!, e se isso de tanta igreja, missa, vela, novena, trezena e rosário de contas não faz nenhum povo nem nação alguma ir pra frente, vamos fazer de conta que nada temos com o mandu, o que vale é ACM presidente da república da Bahia, AMB governador do estado de Todavia, e que se foda o resto, vossa excelência mesma, doutor Vita, esperta e sabida do jeito que é, certamente vai preferir ser um pavão federal na Bahia que mero espanador estadual em Todavia, mais vale ser fodão na república que fodinha no estado, não é mesmo, estou certo ou errado?, e eu nem tive tempo de respostar sobre se errado ou certo estava o meu chefete de província em seu delírio banhado a vinho francês porque, sem trava, ele engatou uma primeira de força, como dizem os caminhoneiros de estrada, e quis saber se eu tinha ciência da prática do distingo por parte de ACM, eu disse que não tinha, que porra era distingo, quis eu saber, ele então me explicou com didatismo pedagógico que Antônio Carlos tinha artes de um Asmodeu para, até sem falar patavina de palavra, fazer o interlocutor perceber o seu estado de espírito, fosse pelo jeito de olhar para o cristão, fosse pela maneira de lhe apertar a mão em cumprimento, se ele estava na ocasião com o cu virado para a lua em relação ao fulano, pegava a mão do cabra como se fosse um tolete de bosta dura, de um jeito frio e calculado até na distância e no sacudir do braço, se não, de outro, carinhoso, afetivo e amigável até demais, ele mesmo espalhava que quando estava a fim de agradar alguém o fazia de forma profissionalmente mais competente que uma puta, ele usava dizer, certa feita ele me contou, meu caro doutor Vita, que era capaz de, pelo pegar na mão, saber se uma mulher estava a fim de dar para ele ou

República dos Mentecaptos

não, veja bem que isso só pode ser um dom divino, como também era um dom dado por Deus ACM sentir se estava em alta de prestígio com um correligionário a quem eventualmente estivesse a visitar apenas apreciando o jeito de encarar dos meninos e da dona da casa, dessa maneira mensurava se estava em alta ou em baixa naquele pedaço de chão, fosse uma três águas de ponta de rua, fosse uma mansão de praça maior, eu e a dona Assunção nunca tivemos esse tipo de aperreio, o nosso Júnior desde pirralho que ama o futuro padrinho, ainda hoje, homem feito, só falta se mijar nas calças de emoção toda vez que vê ACM na televisão, deixe que eu lhe conte outra, doutor Vita, certa vez mesmo meu compadre ACM estava muito cismado de que um certo Almir, então prefeito de uma cidade da região do cacau a que ele compareceu em caça de votos, ele para governador, o filho dele, o Luiz Eduardo, ainda novinho, para deputado, como eu dizia, ele estava cismado que esse camarada Almir tinha uns pendores a trair, prometer votos e não os entregar, então, seu Vita, o velho *Cabeça Branca* começou logo no arriar das malas da chegada a se emputecer, porque desde o campo de aviação onde ele desembarcara até a chegada ao local do comício só se viam faixas de brim branco pintadas com letras garrafais falando bem do Luiz Eduardo, Luiz é isso, Luiz é aquilo e aquilo outro, e necas de pitibiriba de loas a ele, o grande líder de cabeça branca, e na primeira das faixas o Almir prefeito tratava o Luiz candidato de meu irmão, e na segunda também, e na terceira e em todas elas, era meu irmão Luiz Eduardo para lá, meu irmão Luiz Eduardo para cá, foi aí que ACM, do nada, perguntou ao lambe ovo do Almir: Almir, algum dia, porventura, eu fodi com a senhora sua mãe? Eu em alguma época trepei com ela? Um desconcertado prefeito Almir disse, não senhor, excelência,

Fernando Vîta

e ACM fechou a prosa, enfezado: então, seu porra, pare de chamar meu filho de seu irmão e vá cuidar de dar-lhe votos em vez de perorações baratas. Assistindo à querela, para não me deixar mentir, estava outro sacana, o vereador Sinhozinho não sei de onde, que achou por bem perguntar-lhe o que era peroração, e com esse Sinhozinho ele até que foi mais calmo na resposta, vá estudar pra saber, seu corno ignorante!, nesse dia meu futuro compadre estava que estava, tanto que outro formidável, o Menaldo Esmerim, candidato a ser seu vice na mesma eleição, achou por bem ler em palanque um discurso escrito de não sei quantas páginas, uma catilinária grande que só a porra, e ACM, inimigo figadal de discursos escritos, ainda mais dos longos, a ficar puto com a arenga sem fim, e olha pra um, e olha pra outro, e futuca a costela direita do orador com o cotovelo esquerdo, e nada, o sacana a ler lauda por lauda retirada da montanha de papel posta ao alcance das suas mãos de tribuno empolgado com a sua própria oratória, eis que Antônio Carlos Magalhães, com seu jeitinho moleque, da montanha subtraiu umas quase vinte folhas de papel ofício batidas a máquina de escrever e as escondeu no bolso do paletó, de sorte e azar que um Menaldo inflamado e loquaz, do nada, viu sua pregação perder totalmente o rumo e o sentido, já não se entendia nada do que ele lia, o lé não casava com o cré de forma nem maneira, ainda assim ele só parou a verborreia porque o que manda mandou-lhe uma bicuda na canela, não sem antes pisar-lhe o pé direito e sentenciar, chega, para de falar merda, seu porra!, quem estava na praça e tinha olhos de ver, viu, quem estava por perto e tinha ouvidos de ouvir, ouviu, foi assim mesmo que se deu o dado acontecimento, me lembro como se fosse hoje, fechou a prosa AMB, uma garrafa de *Noveau* vazia depois.

Mentecaptos

O barco arriou as âncoras, os marujos atiraram as cordas de amarração ao cais, a noite já tinha chegado e eu feliz de dar dó com meu louco personagem, não posso ainda bem afiançar se mais personagem ou louco, ou as duas coisas ao mesmo tempo, talvez uma delas não sobreviva sem a outra, a capacidade que Augusto Magalhães Braga tinha de projetar nirvanas de poder e de manadas de gente a mandar era tamanha, que cheguei a imaginar, comigo mesmo: com tantos a dar ordens e comandos, faça isso ou aquilo, aquilo ou isso, assim ou assado, assado ou assim, será que sobrariam humanos para serem ordenados, mandados por mais alguém?

Saltamos todos do *bateaux* e ali mesmo às margens do Sena pegamos um carro de praça de um argelino com cara de revoltado e que nos levaria de volta, com visível má vontade, à Rue du Vaugirard, no amanhã cedinho teríamos de estar em avião da *Air France* para chegar a Roma, veríamos o papa?, quis saber dona Assunção, estaremos com o papa?, indagou o prefeito, isto a Deus pertence, achei por bem dizer, tive vontade mesmo de dizer umas poucas e boas ao argelino de maus bofes que nos tratou com ares de desdém, mas o prefeito impediu-me, doutor Fernando, faça como ACM, que só briga pra cima, nunca pra baixo, o que quer dizer que vereador só deve brigar com prefeito; prefeito, com governador; governador, com presidente da república; presidente da república este não deve brigar com ninguém; e padre, se tiver que brigar, que peleje com bispo; e bispo, com arcebispo; arcebispo, com cardeal; cardeal, com o papa, e se o papa estiver a fim de questão que questione a Deus, caralho, que brigar para baixo é coisa de fraco, assim sempre fala Antônio Carlos, assim também penso eu, pensou alto Augusto Braga.

A rigorosa pontualidade da partida, às 7h56min, do nosso voo AF2212 de Paris-Orly, sem escalas, para Roma-Fiumicino mereceu vastos elogios do prefeito Augusto Magalhães Braga, que se pôs a comentar, com a anuência sempre concordante da sua consorte Assunção primeira-dama, o quanto seria de bom alvitre se os trens da Estrada de Ferro Nazaré fossem igualmente tão pontuais, mas não, eles não o são, jegues, mulas e vacas, vezes até carneiros, bodes e cabras amuados nos trilhos a encarar com agressivas fuças, olhos e galhas as marias-fumaças os impedem de prosseguir viagem na pontualidade do horário, sem falar dos descarrilamentos constantes, das operações tartaruga e das greves dos ferroviários, um bando de chichisbéus a chorar de barriga cheia, ganham muito, trabalham pouco, os vagais, e quando deixam as composições paradas nas estações e os eventuais passageiros ao Deus dará, em vez de parolarem em assembleias de pelegos, correm a engrossar a larga clientela dos botecos e puteiros da Fontinha, em Nazaré das Farinhas, a beber cachaça e a contrair gonorreia, uns merdas, seu Vita, uns merdas!, quando a Bahia virar país

Fernando Vîta

e Todavia estado, acredite, anote aí, minha prioridade zero um como governador será me articular com o nosso ACM presidente para pôr termo a esta esculhambação, faremos juntos o que o finado Benito..., que Benito, homem de Deus?, quis saber dona Assunção, ... Mussolini, respondeu o prefeito, fez na Itália, enquadrou a choldra dos trabalhadores ferroviários, de maneira que ele pôs os trens nos trilhos, trem atrasou uma besteirinha de nada, não importa ser o comboio de carga ou de passageiros e ia gente pra cadeia ou pro olho da rua, o pau que dava em Chico dava em Francisco, trem tinha que sair e chegar na horinha certa e aprazada nas estações, de acordo com os relojões públicos das plataformas de embarque e desembarque ou com os patacões de bolso dos que os tinham ajustados com o do fascista italiano, o Benito não estava nem aí se o causador do atraso fosse o chefe do trem ou os porras dos operadores das locomotivas limpa-trilhos ou das agulhas dos cruzamentos das linhas férreas, atribuir a culpa a boi na linha nem convinha imaginar, o Benito era um camarada exigente por demais, ah!, o Benito Mussolini, por fim caiu em si, sem maiores machucões, dona Assunção, eu pensei que você estava a falar de outro Benito, o Granja, Augustinho, aquele deputado gordinho de Ituaçu da Bahia que mais vezes procura brigar com ACM para também mais vezes se arrepender, pedir penico e ficar de bem de novo, mas que merda de Granja que nada, criatura — obtemperou o alcaide —, estamos a tratar de gente grande, do Mussolini que se lascou no fim da peleja, foi esquartejado junto com uma namorada — veja você, doutor Vita, que esse negócio de político namorador vem desde os tempos de dom corno! — pelos italianos e postos os dois dependurados pelos pés nos postes de luz elétrica de Milão como se fossem reses abatidas em açougue, mas aí a culpa maior foi do Adolf..., que

Mentecaptos

Adolfo, homem de Deus, aquele Adolfo Nery que foi prefeito de Jaguaquara?,... não, dona Assunção — eu acudi, antes que Augustinho se irritasse — ... o Hitler, da Alemanha, aí está certo, ela agradeceu-me o adjutório e o prefeito pôde então concluir em paz o seu vasto pensar sobre os destinos políticos da Europa do após Segunda Grande Guerra, pondo na mesinha do café da manhã a bordo já servido a sua convicta convicção de que se ACM já estivesse na política àquela época, mesmo sem a Bahia ser ainda um país, vetusta república, apenas um estado do Nordeste pobre do Brasil, teria tomado partido de um lado ou do outro das grandes nações litigantes, que ele não era homem de ficar em cima do muro, seu Vita, imagine ACM tomando um partido na guerra, ia botar pra foder em cima dos adversários, ia ser um tal de dossiê contra Hitler de um lado, uma denúncia de falcatrua contra o Charles de Gaulle do outro, os grandes mandões haveriam que se encagaçar, como os daqui se encagaçam quando Antônio Carlos solta o verbo e a verve, de forma que, selada a paz, fechado o tratado de armistício, creia em Jesus que ele seria um dos estadistas a assiná-lo, que esse meu compadre ACM não é de capinar sentado, pode crer no que eu digo, e aí o conflito não seria posto a termo se um pedaço qualquer daquela Europa repartida em mil pedaços pelos russos de um lado e pelos americanos, ingleses e franceses do outro, não viesse a caber ao Brasil, quiçá à Bahia, que para lá mandou vários navios cheios de pracinhas mal saídos dos cueiros para servir de bucha de canhão ou de alvo de fuzil, quem foi, não morreu e voltou, doido voltou, temos vários desses pirados em Todavia, o Geraldino Bombaço é um deles, até o Winston Churchill, que fatalmente cairia na boa lábia do meu futuro compadre baiano, haveria de estar do seu lado, que o *Cabeça Branca* é bom de lábia, sabemos todos, aí foi quando

Fernando Vîta

dona Assunção viu pela janela do avião, lá embaixo, os picos nevados dos Alpes, não sei se já os suíços, os franceses ou os italianos e não resistiu em compará-los com os da Serra da Jiboia, uns picozinhos de montanha bem fuleiros, atochados de pés de jaca e ingá e dendê, eu ainda tentei falar do Pico da Bandeira em defesa da glória nacional de também possuir um picão, ainda que sem neve, em seu território, mas umas turbulências de céu limpo, agregadas ao grave aviso do piloto para que os senhores passageiros se mantivessem sentados e com os seus cintos atados aos respectivos assentos, colocaram todos os donos de cu a ter medo, o primeiro deles Augusto Braga, o segundo dona Assunção, o terceiro, bem, o terceiro este que escreve, que em também cu tendo, medo sentiu na hora, de sorte bem verdadeira que em poucos minutos depois já estávamos a chegar a Roma, a fazer a emigração, a desembaraçar bagagens e a buscar um carro de praça que nos levasse ao *Hotel Fontana di Trevi*, o nome já explica o endereço em sua mais completa tradução, em frente da Fontana fica a hospedaria, eu aclarei para o motorista de praça, um siciliano cheirando a tabaco barato, cheio de treitas e arengas, que estava a conduzir, claro, um automóvel da *Fiat* em péssimo estado, ambos, o prefeito e a primeira-dama, encabulados com a imensa quantidade de freiras, padres, monges de convento, bispos, cardeais, prelados e de noviças e seminaristas de menor escopo que estavam a chegar ou a partir daquele Fiumicino entulhado naquela manhã cinzenta, lembrei-me de Deus e comecei a implorar-Lhe graças para que impedisse, Ele que tudo pode, que a mulher do prefeito, em chegando ao *Hotel Fontana*, se achasse no dever de comparar a fonte que o genial Bernini por primeiro rabiscou, logo ali bem à vista, com a fonte de Satinho, em Todavia, onde os aguadeiros e seus jumentos buscam a água de beber em

Mentecaptos

barris de madeira para vender a mil-réis trocados aos nossos munícipes, enquanto as do Rio da Dona não são represadas, encanadas e levadas às torneiras de todos, eterna promessa de Augusto Magalhães Braga, a cada ano de eleição, jamais cumprida, mais uma vez vale dizer.

    Sim, Deus ouviu as minhas preces, e eu Lhe agradeço, dona Assunção embasbacou-se com a Fontana, mas desta vez, pelo menos, não fez comparações nem elogios, apenas ouviu o seu marido, irônico, comentar: "essa italianada não tem mais nada a fazer senão ficar sentada à toa vendo esse mundo de água sendo desperdiçado e ainda de quebra jogando moedinhas como lembrança. E à noite, se ninguém fechar as torneiras, quem haverá de dormir com esse esporro de água caindo como se fosse uma cachoeira de Paulo Afonso?", então pegou a valise de mão e foi rumo ao quarto, dona Assunção no encalço, espera por mim Augustinho!, vou à frente que estou apurado para urinar, respondeu o prefeito de Todavia, apressando os passos ainda mais e já desabotoando os primeiros botões da braguilha, não era pouco o apuro.

    Dos muitos roteiros de atrações da Roma eterna a serem visitados, além da Capela Sistina de recomendação do que recomenda e quer que se cumpra à risca a recomendação dada, dona Assunção de logo se interessou por ir, nem que fosse por breves minutos, às Catacumbas de Priscila, aí a indicação partira do monsenhor Giuseppe Galvani, antecipando à primeira-
-dama uma prédica em privado do que ela iria ver, metros muitos escavados abaixo do solo, em um dos mais antigos e preservados cemitérios da Roma antiga, onde os primeiros cristãos plantavam os seus mortos e se reuniam secretamente para orar, escondidos como tatus-bola, para fugir da sanha dos césares, que, então, cagavam e andavam para Cristo, tanto que

Fernando Vîta

à cruz o levaram, repassando a conta para ser paga em eternas prestações pelos judeus perante a história, e eles até hoje arcam com ela sem nem ao menos piar, quanto mais estrebuchar, e pior ainda, sem achar com quem a rachar solidariamente, é assim que caminha a humanidade, lá no Brasil a humanidade caminha mais devagar ainda do que aqui na Europa, fez questão de comentar Augustinho Braga, porque quando aqui os relógios já marcam dez horas da manhã, lá na nossa terra nós ainda estamos beirando às seis ou às sete, quando a gente está tomando o café, os europeus já estão a almoçar, até nisso levamos ferro na tarraqueta, doutor Vita, a propósito, bem a propósito, convém anotar e me lembrar que quando a Bahia virar país, ACM terá que dar um jeito, como presidente da república, de fazer com que a nossa hora seja diferente da hora de outros futuros países, assim quando na República da Bahia os cronômetros estiverem a marcar meio-dia, que na República de Sergipe ainda eles assinalem as dez horas, a gente andando adiante deles duas horas na frente, pelo menos, que esse negócio de fuso horário é coisa a ser tratada com muita responsabilidade, assente isso aí em suas anotações, faz favor, pra eu não esquecer de falar com o homem.

Percebo uma indisfarçável inquietação no prefeito Augusto e uma visível excitação na sua mulher Assunção, ele como se estivesse doido para voltar a Todavia, ela como se lá não quisesse jamais voltar, encantada a cada nova descoberta, a cada novo exercício de comparar o lá com o cá, o alho com o bugalho, já se vão uns tantos dias que deixamos a Bahia, há uns tantos outros ainda a desfrutar na Europa, depois desta Roma onde estamos ainda há Lisboa, eu, da minha parte, de nada reclamo dos fados, eles sempre, que até aqui me trouxeram, ingratidão das maiores seria deles reclamar, noto que ser monoglota angustia o prefeito, já o mesmo não se dá com a primeira--dama, falou português com os franceses como se escorreito francês ousasse falar, agora o faz com os italianos com a mais completa e absoluta naturalidade, fosse uma italiana nata e não o faria com tanta naturalidade, é como se não tagarelasse no estrangeiro, ele amua-se, mantém-se calado, só comigo ou com ela tem assunto, já ela nem aí está, entra em lojas, boutiques, quiosques e restaurantes, e com um gestual feérico e teatral, vezes valendo-se mesmo de desenhos em pedaços de papel, pequenas

Fernando Vîta

e rápidas encenações e onomatopeias, vai conseguindo resolver-se, levar a vida simplesmente, já comprou badulaques muitos, lembrancinhas diversas, diz mesmo aos vendedores a quem tais mimos se destinam, eles nada entendem, mas estão ali do outro lado do balcão para sorrir — e vender —, hoje mesmo, no café da manhã, dona Assunção deu um *show* de empatia ao conseguir ordenar a uma garçonete do *Hotel Fontana* a vinda de um par de ovos de galinha caipira estrelados na manteiga, ainda por cima malpassados e com muito pouco sal, para tanto usou todo um repertório de recursos, rascunhou com perfeição os dois ovos eles mesmos num guardanapo de papel, depois os aquarelou estrelados, cacarejou como uma galinha pedrês, com bater de asas e tudo o mais, para deixar suficientemente claro que eles não deveriam ser de pata, avestruz ou marreca, mas sim de uma poedeira caipira, mesmo que legorne, mais uma vez valeu-se da sua habilidade de bordadeira aplicada, que antes risca no tecido o que vai bordar depois, e desenhou uma penosa a catar milho e insetos num terreiro bem rural, foi ao bufê, pegou um tablete de manteiga e um sachê de sal, os balançou aos olhos da garçonete, e resolvida estava a encomenda, deu-se até o luxo de oferecer ajuda ao marido perplexo e a mim, no sentido de nos fazer entender pela jovem serviçal, eu absolutamente feliz por sentir que, além de AMB, dona Assunção igualmente estava a mostrar-se a cada dia uma personagem de inegável serventia para o andamento deste meu *República dos Mentecaptos*, seus feitos, novos e velhos, nesses poucos meses de escassa convivência a regurgitar na minha cabeça, a pedir texto, narrativa de romance, como até aqui, caro leitor, você o tem tido, o prefeito foi que não ficou muito feliz com tanto espalhafato e alegoria apenas para que ela pudesse comer dois ovos fritos no desjejum, mostrou-se extremamente ríspido com a madame,

República dos Mentecaptos

porra, Assunção, se você me fala antes que queria ovos no café, em um minuto eu faria o pedido!, bastava pegar nos meus colhões, assim, dessa maneira, os mostrar para a italianinha garçonete, e ela, claro, entenderia à perfeição o que fazer, assim rimos todos meio que escabreados da ausência de bons modos da autoridade, até porque o alcaide não só falou alto e bom som, mas o fez de pé, como se estivesse num palco de teatro ou picadeiro de circo, palmeando a sacaria escrotal de forma bizarra e burlesca, tínhamos que tentar acalmar a mesa e a italianinha da mesma forma, ela estava perplexa, boquiaberta, espantada, de olhos arregalados como se tivesse visto assombração de trem fantasma, era então o nosso segundo dia em Roma, primeiro vamos à Capela Sistina e depois às Catacumbas de Priscila, assim contentaremos os representantes de dois poderes — o temporal, representado por ACM, e o espiritual, pelo monsenhor Galvani — desde que atendamos por primeiro ao temporal, advertiu AMB, é uma questão de precedência, meu governador e futuro presidente preza muito a precedência, ainda me fez ouvir, Antônio Carlos por primeiro, o monsenhor e o Deus dele na sequência e estamos conversados, percebo, disse-o lá atrás, que o prefeito de Todavia já sente vastas saudades do seu dia a dia de mandão provincial, do sargento Bezerra a lhe abrir as portas do Opala preto de chapa branca, dos relatórios com as bisbilhotices da vida alheia de Taiai do Telefone, dos salamaleques cerimoniais de Lourdinha Pereira, das empoladas demonstrações de saberes do direito paridas por Carlos Aurino, dos esporros formidáveis que ele aprecia dar no tenente-coronel Elson das Mercês, um civil a meter o dedão na cara de um fardado em épocas de chumbo, treva e ditadura militar, ACM fazia assim, por que ele, o prefeito de Todavia, não o fazer também?, e que falta terrível sente dos cuidados próximos de maternais que lhe dispensa a

Fernando Vîta

secretária dona Hilda, do jeito de seu Serapião lhe auscultar por instinto atemporal os humores, todos eles, saudades do feijão com arroz, da caninha, do travesseiro de dormir ancho de macela, do povaréu a lhe demandar a concretização de sonhos e esperanças inalcançáveis, o que dizer de *Belariana*, a *Segunda--Dama*, ela, Ariana, por onde estará a doidivanas a esta hora, com seu olhar vulpino a vender produtos da *Avon* de porta em porta e a entregar mercadorias ainda mais preciosas e eróticas apenas em algumas delas, cheiros variados a sair dos frascos de perfume para uns, picantes aromas diversos derivados do seu corpo escultural para outros, por mim, confesso, se essa viagem durasse ainda mais um pouco, mais ainda eu teria em achados e guardados para o meu futuro livro, mais ainda eu aprenderia da vida, dos homens, em suas circunstâncias. Da vida dos outros e da minha própria, acentuo por ser próprio acentuar.

Como no Louvre de Paris, na Sistina de Roma encaramos mais uma imensa fila, nós tínhamos chegado cedo, mas de nada valeu toda a pressa, ali ficamos, estoicos, aguardando a nossa vez, atravessamos as suas galerias com paradas eventuais e com os ouvidos atentos à narrativa de um padre-guia-veadíssimo-português — pegue leitor, se for da sua conveniência, esta quádrupla enfieira de palavras e as inverta ou reverta a gosto, a ordem delas não haverá de lhe alterar o produto, mas fique atento ao que explanava o guia-padre-português-veadíssimo — e ele dizia aos seminaristas e noviças aos quais guiava — mãos, lábios, olhos e respiração, com descaídas verticais afetadas próprias de um invertido de sotainas — o quanto se gastou de tempo, tinta e trabalho para se chegar àquela maravilha de capela, explicou tintim por tintim as origens de cada coisa, mas perdemos a ponga do guia-português-padre-veadíssimo porque dona Assunção, a fim de melhor rezar por bênçãos e graças para o filho Augusto Júnior, menino ainda sem prumo

República dos Mentecaptos

na vida, doutor Vita, no entanto já passado dos trinta vividos, ela desabafou, resolveu debulhar um terço num dos altares da Sistina, tempo mais que suficiente para o prefeito pai apreciar o teto onde Michelangelo pintou a criação de Adão, entre mil quinhentos e oito e mil quinhentos e dez, perguntou-me se àquela época já existiam andaimes e gruas na construção civil como hoje, eu não soube responder-lhe, o veadíssimo-português-guia-padre já ia bem longe, o alcaide deixou barata a minha ignorância, eu ainda arrisquei lembrar-lhe do engenho e arte com que no passado se erguiam do nada estranhas catedrais, citei, mesmo sem a maestria e o zelo que sobraram em José Saramago, em seu *Memorial do Convento*, como Dom João V pôs de pé o monumental Palácio Nacional de Mafra, e de pé ele está até hoje, ocorre que eu não sou o José, que dirá Saramago, luso de berço muito menos, quem sou eu, falou ainda o prefeito do imenso pé-direito do imóvel, uma extravagância e uma esbórnia com o dinheiro público, indagou-se em quanto não estaria nos picos a despesa do Vaticano com o pagamento de impostos, taxas e emolumentos à municipalidade de Roma pela posse da Sistina, expliquei-lhe que o Vaticano não pagava porra nenhuma, que o Vaticano era como se fosse um país à parte, por fim — dona Assunção acabara de rezar o rosário — ficou abestalhado ao saber que Michelangelo, nos painéis dos tetos, pintava a maior parte do tempo deitado nas alturas dos andaimes, quase o tempo todo, deve ter custado uma fortuna, o trabalho desse camarada, limitou-se a dizer-me AMB, apressemos o passo, orientou, vamos para as Catacumbas de Priscila para ter o que contar em Todavia, e fomos, e já era quase fim de tarde, chegamos à Via Salária onde elas ficam, pagamos uns ingressos baratos e uma freira parruda nos conduziu catacumba abaixo, como se estivéssemos a entrar em uma caverna cavernosa, e tocamos a descer, e tocamos a fazer curvas e recurvas, dona Assunção começou a sentir falta de ar, deu um custipiu, voltamos do meio do caminho, quase nada vimos ou soubemos da utilidade daquilo que o prefeito denominou, na tampa da cara da freirinha, de um buraco sem fim e sem termo, muito mais que lugar de oração clandestino, as catacumbas eram cemitérios de cristãos, disse-nos a freira-guia, pois é, ainda prefiro cemitério em terra plana, disse AMB, a freira encabulada estava encabulada permaneceu, batemos em retirada, até mais ver, Roma, que mereceu da primeira-dama um comentário final e definitivo: gostei da cidade, não! Muita obra começada e não terminada — estávamos diante do Coliseu! — e muitas ruínas que já deveriam ter sido derrubadas de vez e não o foram, parece que o prefeito daqui não é dos bons, então pedi, em silêncio, perdão aos séculos e séculos de história, Lisboa nos espera, o prefeito pergunta quantos dias ainda haveremos de estar fora da Bahia, quer conversar sem delongas com ACM assim que lá chegue, a ideia do Inglês tem que ser exposta a ele, com detalhes detalhados, em regime de urgência urgentíssima, dona Assunção o admoesta, risonha e jovial, Augustinho, sossega homem, que por mim daqui eu não voltava nunca, então você que fique que o dever me chama, o futuro me espera, fechou a conversa com ares de um césar de momices, um imperador de folguedos, um mandrião de ópera-bufa.

À noite feita, despedimo-nos todos dos dias idos com uma janta no original *Alfredo di Roma Ristorante*, dele falara ao prefeito um deputado carlista de primeira água, de batismo Rosalvo Barbosa Romeu, que sabia mais da Itália, sem lá nunca ter ido, que muito italiano de nascença, recomendara o Romeu em questão o imperdível *fettuccine* do chefe Alfredo, mas não só, que se atentasse às muitas fotos emolduradas penduradas nas suas paredes, de famosos de todos os tipos

Mentecaptos

e embalagens que lá um dia foram cear — papas, pugilistas, mafiosos, jogadores de bola, cantores de rádio, presidentes de nações, sheiks e artistas de cinema — entre eles Antônio Carlos Magalhães, ele e uma namorada da hora, quantas as teve ACM só Deus sabe, a repastar na paz dos que amam, com o Alfredo a servir-lhes pasta e vinho, orgulhoso e ancho de alegria, quanto ancho de alegria ficou certo dia Barbosa Romeu, ao substituir em cartório público oficial, o seu Romeu de nascença por um itálico Romeo, tanto que amava a Itália o Rosalvo Barbosa, ainda que sem nunca desamar a Bahia.

Olho das nuvens lusas as águas do Tejo mesclarem-se serenas às do Atlântico como se estivessem a formar um imenso mar, elas, porta de partida única e generosa ontem e em todo o sempre dos tempos que marcam a história, da Lisboa de Portugal — a Sagres do Algarve aí inclusa — para os descobrimentos das novas terras e dos novos povos em mundos novos e velhos, que de tais epopeias do gentio ibérico bem cuidou de louvar Camões, eu que cuide do que resta deste meu périplo inglório por Europa, França e Bahia, meus personagens — o prefeito e a primeira-
-dama de Todavia — a terem-me como cordato pajem de luxo nas páginas deste nascituro *República dos Mentecaptos* de destino incerto, dele por agora os céticos donos da Geração Editorial ainda não me alentam com promessa de virar livro impresso em prateleiras de livrarias, por certo desgostos muitos — adversa crítica, leitores poucos e grana minguada em borderôs! — lhes devem ter causado minhas aventuras romanescas pregressas por eles tolerantemente bancadas, destino garantido por agora apenas temos nós, passageiros, neste avião da TAP, que deixamos Roma — sim, pasme leitor, temos boca e a ela chegamos! — sem

Fernando Vîta

ao menos ver o papa, prestes a aterrissar no Aeroporto da Portela de Sacavém, deste campo de aviação ao hotel que nos espera na Avenida da Liberdade — cujo nome, *Tivoli*, lembra-me mais o de parque de diversões de pracinhas da infância que o de paragem de pouso e repasto que se imponha — é um pulinho de nada em carro de praça alfacinha — um sedã Mercedes creme, meio velhinho, mas, ainda assim, Mercedes-Benz, registrou o alcaide —, note que se vê agora um Augusto Braga deveras loquaz e saliente, em termos de falar a língua da praça ele se sente quase em casa — minha pátria é minha língua, lembro por querer lembrar um ilustríssimo xará Fernando de Portugal e que não sou eu, é outra pessoa que jamais serei! — já ao passar pela imigração, AMB apresentou com desenvoltura as suas credenciais de autoridade de alta projeção no Brasil — prefeito de Todavia, amigo e quase compadre de Antônio Carlos Magalhães! —, de mim disse ser o seu tradutor juramentado, o polícia português sorriu meio que sem jeito, como se retrucasse "tradutor de que milongas, oh pá, se estamos a falar língua igual?", disporemos de pouco menos que dois dias para ver o Chiado e ouvir fados no *Parreirinha de Alfama*, assim sugeriu Antônio, assim quer que se cumpra Augusto, o que vier depois será lucro, o fado de Amália que agora ouvimos todos a bordo — *Lisboa, bela cidade, cheia de encanto e beleza...* — remonta-me aos fados que até aqui me trazem, eles, os fados, eles sempre, que lá atrás impediram que eu, fugado, cruzasse oceanos em busca de incertezas vãs, você há de lembrar, memoriado leitor, do navio petroleiro de bandeira russa que me teria a bordo como clandestino embarcadiço pelas mãos de um Heliogábalo Pinto Coelho prestativo, probo e fraterno, não fosse o meu medo pânico de virar comida de marujada, carente de gozo em sexo de homem com homem, que me fez dar uma recuada, uma ré engrenada

Mentecaptos

a tempo, de volta à terra firme da Bahia e só Deus sabe em que petição de miséria eu hoje andaria, enrabado de proa à popa por aqueles rufiões dos mares, sim, não fossem os fados que não me deixaram tornar-me, por força das circunstâncias, o que os marujos de todo o mundo tratam por enrabadiço e hoje eu não aqui estaria, com o fiofó em ordem, a ponto de deambular por terras lusas, antes de baldear de volta a Todavia, não fossem os fados — eles, mais o prestígio de Heliogábalo e um recomendo peremptório do governador Antônio Carlos a um mandrião de província — e eu não poderia contar prosa, ainda senhor das pregas — a mãe de todas elas incluída! — do meu rabo, só aludo a tais pormenores tão íntimos e já idos em páginas outras como preito de gratidão aos fados, a Pinto Coelho e a ACM, sem o advento do adjutório deles teria sido foda, então no andar da carruagem se juntou a loquacidade em português fluente de AMB — a fome — com a cordialidade lusitana do nosso sinesíforo — a vontade de comer — e o prosar a bordo do carro de praça abundou por demais, o prefeito perguntou se o Egas de Deus — esta era a graça do minhoto gorducho, vindo da Vila Nova de Famalicão para Lisboa ainda miúdo, de riso afável, que o guiava — conhecia, porventura, Antônio Carlos, o Egas afiançou — não se sabe se por mesura, que apenas de ouvir falar — ah, meu caro Egas, ponha o Antônio Carlos no timão de Portugal e você vai ver — entusiasmou-se o prefeito de Todavia — esse seu Portugal ser o país maioral da Europa, voltará a navegar por mares nunca dantes navegados até mesmo por essa pátria de tão formidáveis navegadores, macho aprumado, o *Cabeça Branca* da Bahia, meu Egas, tipo dos que, se marca hora com um sacana qualquer, e o formidável chega ao compromisso por segundos que sejam em atraso, vai levar escracho dos bons, que general não espera soldado, o ditado

Fernando Vîta

de caserna já vai incluso no pacote do esporro sem custo extra, assim é ACM, dia desses mesmo ele recebeu em seu gabinete de governador um camarada, seu Egas, que se julgava mais forte em votos que qualquer outro político num certo município lá do oeste da Bahia, e esse porreta começou a cobrar umas tantas coisas de ACM, não aos brados, que aos brados ninguém ousa falar com ele, mas com um pouquinho de nada a mais de volume e impedância na voz, sempre na base do não admito, governador, que eu que tive tantos e quantos votos para deputado e dei a vossa excelência quantos e tantos outros, não possa escolher a diretora da escola tal ou qual, o delegado de polícia qual ou tal; não admito que em eu sendo tão leal ao senhor, não mereça, governador, ter isso, aquilo ou aquilo outro, pois bem, não deu para o sacaneta chegar ao terceiro não admito, porque o meu compadre levantou da cadeira e, dedinho indicador bem na cara do que até então não admitia, disse-lhe, aos berros, olhe aqui, seu porra, eu, ACM, é que não admito que veado nenhum, que qualquer filho de uma puta, venha a falar alto na minha frente, e mais ainda, pegou os dois ovos com as mãos por cima das calças, o saco junto, e indagou ao espantado correligionário se ele, que tanto queria e reivindicava benesses, porventura dos seus colhões não desejaria ter posse, e não satisfeito, porta a fora posto o tal cidadão que não admitia, contou ao mundo e a Deus que essa mesma autoridade municipal, certa feita, em tendo exagerado em campanhas políticas seus dotes e maneiras de baitola, forçara-lhe a, como líder que sabe liderar, chamá-la às falas, olhe, seu fulaninho de tal, se você quer ser prefeito de tal lugar, tudo bem, mas pare de ser veado, então o que não admitia disse que não, excelência, está tudo bem, eu não sou veado, mas admito que só faço uso de umas certas veadagens quando bebo, então pare já de beber agora mesmo, seu merda, decretou o que

República dos
Mentecaptos

decreta e ponto-final, você ainda vai à Bahia, Egas — desafiou AMB — e haverá de conhecer ACM e concordar com o que eu estou a lhe dizer, ele é da pá virada, esse Salazar de vocês, que cagou regras por aqui até pouco tempo atrás, na frente de ACM ia piar baixinho, pianinho, o pracista gargalhava, dona Assunção aprovava os ditos e desditos do marido com leves meneios de cabeça, e eu guardava na cachola o que ouvia e que agora conto sem aleives ou floreios, aí foi que chegamos ao *Hotel Tivoli*, Egas de Deus caiu nas graças do prefeito, tanto que de pronto foi requisitado para, a custo de apenas um prévio telefonema, estar a postos para servir à trinca de baianos enquanto em terra de Pessoa — aqueloutro Fernando que não eu — ela permanecesse, eis no que dá uma boa prosa, eis ao que leva falar-se uma mesma língua, e em sendo ela a chamada última flor do Lácio, inculta e bela, então nem se fala, a nossa pátria é ela e quem quiser que fale que não.

Delegamos a Egas de Deus estabelecer o melhor roteiro que a um só tempo privilegiasse a visita aos pontos de Lisboa que, como já sabido e fartamente alardeado, por serem sugestões do que sugere, não poderiam deixar de ser vistos, de sorte que, posta em prática a boa e nem sempre assaz louvada logística portuguesa, tivéssemos algumas horas disponíveis para as compras e os comes e bebes derradeiros que marcam sempre os périplos dos viajeros, quaisquer sejam eles, desde os tempos de Gulliver aos de hoje, assim batemos pernas pelo Chiado, pelo Alto e pela Baixa, vimos a Mouraria, penitenciamos em umas tantas igrejas manuelinas, dona Assunção penitenciou bem mais que o prefeito e eu somados, compramos as encomendas que nos foram feitas pelos membros do assim dito estafe da prefeitura de Todavia — os pastéis de Belém de dona Hilda; os batons de cores vivazes de Lourdinha Pereira; o par de sandálias japonesas, tamanho quarenta e dois, do tenente-coronel Elson; o *Rémy Martin* de Carlos Aurino, as sardinhas do Atlântico Norte e os queijos da Serra de seu Serapião. Para

Fernando Vîta

Taiai Marins, do Serviço de Informações Institucionais, que nada encomendara, achou próprio AMB de presenteá-la com um minúsculo gravador portátil da *Sony*, por crer a ser o engenho japonês de muita utilidade em suas missões de bisbilhotar vidas alheias — então o prefeito repassou a Egas a missão — por todos os aspectos de fundamental importância! — de nos levar a um empório de luxo onde uma lembrança fosse adquirida para o amigo, futuro compadre e, sobretudo, governador que pode virar presidente quando a Bahia tornar-se república, falamos de ACM, desnecessário dizer, mas eu o digo por aclarar mesmo o que já excessivamente claro está, do que gosta de receber a título de mimo o seu amigo, prefeito?, perguntou Egas, ah, ele só gosta de coisa boa, santos antigos, gravatas caras, relógios porretas, coisas de comer bem gostosas, então o Egas tornou a demanda que lhe foi imposta mais simples de solver, veja, doutor Augusto, o senhor não poderá deixar o nosso país, por exemplo, com um leitãozinho assado, da Vila de Coina, beirando Setúbal, debaixo do braço, caso assim pense; relógio bacana é coisa de suíço, dele não me trate, aqui não o fabricamos; para santo antigo vale o mesmo que está escrito para o bacorinho ao forno da Coina, quanto mais antigo seja ele, mais difícil será tê-lo, por mais santo que seja, a viajar para fora de Portugal em destino de nicho de senhor qualquer, assim minha sugesta é que compremos uma bonita gravata na *Nunes da Costa*, bem ali na Augusta, é uma loja que de antiga que é parece remanescer dos tempos de El Rei Dom Sebastião, o Desejado, que morreu brigando com os Mouros em Alcácer Quibir, mas que vivo está no coração de todos os patrícios lusos, nós, os portugueses, acreditamos piamente que a qualquer hora ele volta, em seu cavalo real, e tira Portugal de qualquer perrengue que nos esteja a afligir, o senhor não venera tanto o

Mentecaptos

seu rei Dom Antônio Carlos?, pois bem, nós, o nosso, Dom Sebastião, vamos às gravatas, matou a querela o prefeito, vamos, pois, pois, acatou Egas de Deus, na *Nunes da Costa* o freguês compra uma unidade de qualquer coisa — sejam ceroulas, lenços, peúgas ou calçados — mas leva três pelos mesmos escudos desembolsados, uma verdadeira regalia de balaio, propagandeou o motorista de Deus, então uma vez na antiquíssima loja coube ao prefeito escolher uma gravata vistosa, estampada com motivos pictóricos que volviam aos grandes feitos lusitanos em todos os mares do planeta, eram caravelas, batéis, bergantins, naus e escaleres a navegar, em variadas cores, sobre a seda azul oceano do adereço de pescoço, quis eu alertar que era um tanto espalhafatosa, a gravata, para os padrões ACM de enfeitar o peitoril quando embalado em fatos de corte preciso, mas AMB já a tinha mandado embrulhar para presente, as duas outras ganhas de lambujem, com uma delas ele agraciou Egas, a outra decidiu que seria o presente de AMB Júnior, compras pagas sem pechinchas, vamos em frente que o tempo passa ligeiro, demos por de bom tamanho o já feito nesta manhã já quase tarde se tornando, é hora de comer, que saco vazio não se põe de pé — lembrou a primeira-dama —, de sorte que por sugestão de Egas fomos ao *João do Grão*, logo ali na Baixa mesmo, na Rua dos Correeiros, onde todos nós repastamos e aplaudimos o traseiro de cordeiro à moda da casa, feito ao forno de carvão, farto e saboroso o pernil, apenas um deles saciou nós quatro, vez que Egas à mesa também se fez presente em sendo convidado oficial do prefeito, foi o dito Egas de Deus que escolheu um alentejano *Rapariga da Quinta* de boa cepa e solidariamente nos ajudou a o beber sem fazer cerimônia, servida a segunda botija, era o Egas quem mais perguntava sobre ACM, e AMB, de fala fácil ao sabor do tinto robusto

Fernando Vîta

— Aragonez, Syrah e Touriga Nacional em corte perfeito, após bons anos em barris bem guardados em caves de adequada temperatura — cuidava de detalhar reportes, prosear fábulas, bordar enredos, esmiuçar minúcias sempre na mira de melhor mostrar com quantos paus se faz um ACM, imagine, seu Egas, que uma vez ACM se invocou com um governador da ocasião, era o Walmir Pratos, que ele tinha na conta de preguiçoso e *bon vivant*, então tacou a espalhar pelas ruas da Bahia que o Walmir acordava tarde, lia o *Le Monde* de semanas já idas, e aí, ainda em listrados pijamas de dormir, manjava um café da manhã digno de príncipe francês, voltava ao leito para mais uma madorna e umas leituras de jornais passados, despertava de novo com a tarde já feita, servia-se, ainda à cama, de lauto almoço regado ao melhor dos vinhos de França, tirava outro cochilo e só então ia cuidar da vida e dos negócios de governo, por isso as coisas iam tão mal para os baianos, não satisfeito, a cada vez que o Walmir governador buscava justificar os seus hábitos pouco espartanos, Antônio Carlos arranjava uma outra maneira de avacalhá-lo, imagine que ele conseguiu, vá lá se saber como, uma lista de compras de mantimentos do Palácio de Ondina, onde moram os governadores da Bahia, e a sapecou na imprensa, a quantidade de ovos, lagostas, camarões de barba e sem barba, peixes badejos, robalos e vermelhos — estes, só os do rabo aberto! — que abastecia a despensa governamental era tão formidável que gerou uma grita geral dos governados, em absoluta maioria pouco afeitos a pratos cheios de iguarias tais, e para acabar de melhor sacanear o adversário, seu Egas de Deus, o meu compadre ainda cuidou de mandar um elemento de apelido Cenoura, ágil em pichações de madrugadas, encher os muros e paredes baldios de todo o estado com frases tipo *Walmir adora ovo; Walmir só come vermelho com o rabo aberto;*

Mentecaptos

Acorda, Walmir Preguiça!; *Walmir ama lagosta*, e chicanas outras de variadas implicações, tipo, *Walmir tem medo de tomar injeção* e *Walmir trepa de meia*, o certo é que a avacalhação chegou a tal ponto que o governador, moço dito de elevado espírito democrático e de tratamento pessoal e político cordato e lhano, perdeu a paciência e mandou que secretas das milícias militar e civil tentassem pegar em flagra dos bons o pintor dos dichotes, uma noite deu-se a missão por cumprida, o tal do Cenoura — um pretinho magricela de seus quarenta anos e pouco — estava a pintar num muro do bairro da Liberdade *Walmir só caga de porta...*, quando os homens da lei e da ordem chegaram, tomaram-lhe a vasta brocha e o galão de piche e com ela própria pintaram o pintor com a sua própria tinta, o piche de severa negritude, o escurinho ficou ainda mais preto do que era, de quebra, os samangos deram-lhe umas porradas pontuais, para não deixar marcas no corpo e complicações perante os chamados defensores dos direitos humanos, o Walmir Pratos era um dos mais radicais entre os tantos, depois mandaram que Cenoura sumisse na noite e não desse parte da sua desventura para senhor ninguém, mas antes deram-se ao cuidado de permitir que o artista concluísse a sua frase inacabada, e ele o fez, escreveu a palavra *aberta*, lá ficou às vistas de todos ao amanhecer *Walmir só caga de porta aberta*, os meganhas aplicaram-lhe mais uns cascudos e sopapos, mas não apagaram a pichação, sorriram às bandeiras despregadas, liberdade de expressão tamanha jamais se viu, o governo do doutor Walmir Pratos era tido como o mais democrático que a Bahia jamais vira, mais democrático até que a própria democracia, orgulhavam-se seus acólitos, em resumo, estimado Egas, Antônio Carlos fez uma vaquinha entre os amigos mais próximos, comprou uma *Kombi* usada, de terceira mão, para Cenoura, que até então trabalhava pedalando

Fernando Vîta

uma precária bicicleta *Monark* pelas ruas da Bahia, mais piche e broxas, deu-lhe *pró-labore* generoso e o mandou de volta à prática do seu ofício, em muito pouco tempo novas pichações voltaram a aparecer, *Walmir frequenta aulas de acordeão* foi uma delas, *Walmir namora escutando futebol no rádio* foi outra, *Walmir tem medo de barata* mais outra, pois bem, para encurtar o papo — conclua então, excelência prefeito, por gentileza, a conversa está boa mas devemos, com todas as minhas desculpas, levantar acampamento, porque temos que nos preparar para estar ao *Parreirinha de Alfama* a ouvir fadistas por volta das sete da noite e já são quase cinco da tarde —, lembrou o motorista, mas ainda foram-nos servidas doses generosas de ginginha, o que possibilitou Augustinho Braga fechar o enredo de forma gongórica, a perseguição que ACM moveu, à base do piche de Cenoura, contra o governador de então foi de tal bitola que ele, Walmir Pratos, renunciou ao governo para arriscar-se a ser vice de Ulisses Guimarães ou de Brizola, ou de Covas, sei lá eu, em eleição presidencial, foderam-se os dois, ele e Ulisses ou Brizola ou Covas, tanto faz, quem se fode em urna fica sempre sem razão ou argumento, ganhou um tal de Fernando das Alagoas, um janota amalucado que dizia ter aquilo roxo, mas que foi empichado não por Cenoura, mas pelo Congresso, foi desse jeito, dois anos depois ACM voltou ao governo com voto de dar de pau, mais uma ginginha e fomos embora, à noite ouvimos os fados, o prefeito tirou uns cochilos no *Parreirinha*, apesar de Egas pracista conversar que só a negra do leite sobre a origem de cada canção e a reputação artística de cada fadista, ainda fechamos a noite com um jantar supimpa no *Varina da Madragoa*, na Rua das Madres, bacalhau de variadas maneiras de fazer supriu a mesa, um *Crasto Superior*, tinto do Douro, foi igualmente bem-vindo, partimos amanhã às onze, Egas de Deus

República dos Mentecaptos

nos levará ao Portela de Sacavém a tempo e hora, adeus Portugal, até daqui a pouquinho, Bahia.

Antes de deixarmos o *Varina da Madragoa* ainda quis o prefeito de Todavia verificar entre as fotos de comensais ilustres que um dia frequentaram a casa se havia alguma de Antônio Carlos com, quem sabe, uma namorada nova ou velha — não na idade, que o velho aprecia por demais a juventude, mas em tempo de uso, de namoro, vale lembrar! —, prever, quem há de?, não tinha retrato dele com namorada nem velha, nem nova, nem mesmo sozinho, mas vimos em preto e branco, sorridentes, a uma mesa farta plena de mariscos, adamascados e boa prosa, Jorge Amado e Zélia Gattai, José Saramago e Pilar del Rio, tão amigos eles eram, quanto se queriam bem, separados pelo Atlântico, unidos pela arte de romancear a vida. A data, escrita à mão por alguém ao pé da foto, vinte e cinco de março de mil novecentos e qualquer coisinha, não me recordo que coisinha esta era.

Sabe o Alfred Joseph Hitchcock, meu benevolente autor deste <u>República dos Mentecaptos</u>? Pois bem, esse célebre diretor de cinema inglês tinha uma mania única de, no andar dos magistrais filmes de suspense que dirigia, do nada aparecer ele mesmo, de entrão, em carne e osso — bem mais em carne que em osso, é bem verdade, já que Hitchcock era elegantemente fofinho — numa prosaica cena qualquer, furtivo, dissimulado, como se não quisesse nela estar, mas claro que querendo ser visto na tela, no mínimo para aguçar a curiosidade do cinéfilo atento. Ora o velho Hitch surgia como um popular que ia passando na cena do crime, outra como o distraído garçom de bar a conduzir drinques em bandeja redonda, toalhinha branca ao braço, vez diversa como um anônimo a dirigir um táxi, outra ainda como um errante <u>voyeur</u> a perscrutar solitário um par que conversa a sós em um <u>pub</u> londrino em papo de intimidade íntima a ser preservada. Contudo, de graça não ficavam tais intromissões, elas eram — são! — a sua marca registrada, o seu charme, a sua grife, tanto que alguns outros cineastas beberam água em sua fonte criativa, veja meu caro, em um dos exemplos, não o único, o caso de outro gênio do cinema falado, o americano Woody Allen, que também não poucas vezes fez o mesmo, ou seja, deixou de lado a régia de maestro à claquete para, até de maneira mais instigante ainda que Alfred, interferir não só nas cenas, mas até mesmo nos diálogos dos seus filmes. São tantos eles onde essa bendita intromissão se dá para gáudio de quem os assiste e para a maior alegria ainda dos que os resenham, que lhe sugiro assistir, Fernando, se ainda não o fez, <u>A Rosa Púrpura do Cairo</u>.

Nesta obra-prima, ambientada em plena Recessão americana, uma garçonete tristonha, sofrida e cheia de dramas pessoais — Mia Farrow a interpreta genialmente —, um marido desempregado, pinguço e violento que lhe cobre de porrada vez por outra sendo apenas um deles, de tanto assistir justamente ao filme em lide, cinco vezes, para ser preciso, faz com que o galã — Jeff Daniels, creio ser ele o ator — sair inesperadamente da tela, perdidamente apaixonado por ela, e vir a cair, cheio de amor e desabrida paixão, em seus braços, em plena plateia, para desespero e absolutos pasmo, estranheza e desconforto dos demais personagens da película, justo <u>A Rosa Púrpura do Cairo</u>, que ficam sem entender bulhufas, veja o quão mágicas e fascinantes são as treitas do cinema bem feito, dou-me a tais lucubrações de cinéfilo solitário das salas de arte vazias das madrugadas tão vazias de público quanto somente para que cheguemos a um de acordo, um armistício, você que escreve, eu que o leio, sobre o porquê você me usa e abusa como personagem e eu me pegue a fazer as suas vezes de escritor, a preencher páginas e mais páginas deste nosso

República dos Mentecaptos

— permita-me mais uma vez a pretensão — República dos Mentecaptos. Talvez dessa forma cheguemos a bom termo findos todos os capítulos do nosso livro — perdão, mais uma vez, se há demasiada pretensão minha no nosso! — e eu me sinta, finalmente, bem à vontade para, a exemplo de Hitchcock e Allen prosseguir metendo os bedelhos na sua trama como eles o faziam — fazem, os filmes são eternos! — nas deles.

Não quis importuná-lo — mas agora o faço! — quando do seu giro europeu digno de um marajá de Índia, saio mais uma vez dos meus afazeres de leitor a cada instante menos fascinado por obra de tão pouco significado para os reais destinos dos humanos e uso um dichote que o meu colega personagem — sim, você mesmo já me aceitou e me tem por personagem pronto e quase acabado de República dos Mentecaptos — ACM muito utiliza quando algum desimportante como você migra do status de bostinha nenhuma para o de merdinha alguma: quem viu Naninha!

Não vi Naninha, não sei se se trata de pessoa, coisa ou lugar, mas vale a internacionalmente reconhecida experiência do nosso experimentado político baiano em usar ditos populares para perturbar a paz de uns e outros e expor as suas convicções, ainda que não tão convictas, tipo, se ele acha que fulaninho de tal está gastando o que não ganha, tasca um quem viu Naninha no seu encalço e a plebe rude toma por verdade absoluta que o fulaninho de tal está roubando de alguém ou de algum tesouro, preferencialmente o do erário; se acredita que a sicraninha de tal tem andado muito nos trinques nos últimos tempos e que seu pai ou seu marido não dispõem de proventos suficientes para bancar tal luxo, solta um

Fernando Vîta

quem viu Naninha na sua testada e a fulaninha de tal de logo assume ou posto de teúda e manteúda de algum abonado, ou de assaz aplicadora de chifres em desfavor de incautos lascados na vida e em favor de um corneador cheio da gaita, e aí lá vai fulaninha de tal para as fábulas de comadres de becos, você sabe a Bahia como é, não é mesmo, em termos de muros baixos, quase ao rés do chão.

Então, peço-lhe <u>venia</u> para jogar-lhe pelas fuças, antes mesmo que você chegue de volta a essas páginas, já que faceiro à Bahia já chegou, esgotado, cansado, mas fascinado com o que viu nas estranjas sem gastar um puto do seu bolso, comendo e bebendo do bom e do melhor, abancado em primeira classe de avião, a peidar solene em quarto de hotel de luxo, quem viu Naninha, ainda ontem escapando de ser enrabado pela marujada de um navio atochado de petróleo em tentativa de fugar da ditadura dos milicos, hoje nesta beleza de mil e uma noites sem gastar um só centavo de seu, tudo bancado pelas burras da mesma Todavia que você, em suas linhas, tanto escangalha, e ainda por cima baldeando dos seus deveres funcionais de puxar saco, arrastar malas, abrir portas para usurpar da confiança de um incauto Augusto Magalhães Braga e transformá-lo, levando de quebra a ingênua primeira-dama, em personagem de romance, e que em sua lábia não caia mais uma vez o seu editor WN, a quem você tenta dobrar resistências com sacas de garrafas de pinga Orgia e até indecorosa proposta de rachar com ele favores de sexo que venha a obter junto às tais trepadeiras incubadas de Todavia que você ainda não manejou desencubar, a encenar um suspense e um mistério literariamente frágeis nestas páginas a que até agora teimo em frequentar, mas vai além o seu descompromisso

República dos Mentecaptos

com os bons costumes, constata que o seu patrão da hora está a penetrar, com essa ideia totalmente amalucada de transformar a Bahia em república, no perigoso território da esquizofrenia plena e, em vez de levá-lo apressado a um psiquiatra, que os há em todos os cantos, fica a lhe aguçar ainda a mais a paranoia na busca insaciável de tirar do nada os seus personagens e enredos, quer exemplo melhor de vil exploração desassuntada que o meu, que de simples leitor fui feito personagem, eu e o doutor José Antônio Fonseca, igualmente sequestrado de seu nada fazer em Cacha Pregos para engrossar em páginas o seu romance, quem viu Naninha, haveria de apregoar o sábio Antônio Carlos Peixoto de Magalhães perante tamanha malfeitoria — literária e comportamental — e antes mesmo que você me venha com circunlóquios ou tergiversas razões, deixe que eu lhe pergunte, prezado autor, que presepada foi aquela, a que vocês de Todavia armaram, no aeroporto de Salvador, para festejar a volta do prefeito Augusto Magalhães Braga à Bahia, depois de uma viagem à Europa motivada mais por olvidar chifres por ele levados à testa que por qualquer outra razão?

Seria o tal AMB o Iuri Gagárin soviético, a voltar à terra russa depois de ir ao espaço embarcado no Sputnik? Seria ele o Neil Armstrong americano a pôr os pés em terra firme d'América após o fazer nas crateras da lua? Por que tantas faixas com elogios aleivosos, fanfarras dissonantes, foguetes barulhentos, filarmônicas desafinadas, afoxés de batuques toscos, discursos maçantes, criancinhas a chorar, velhinhos a desmaiar, em inoportuna patacoada no aeroporto, por tão pouco? Afinal, a que serviu a viagem de vocês por, no seu próprio dizer, Europa, França e Bahia, a

Fernando Vita

não ser para gastar o dinheiro público e afogar as mágoas do alcaide chifrado? Deixo estas questões em suas páginas e consciência, não às quero nunca respondidas, às minhas conclusões de leitor chegarei por meus próprios pés, faz favor, até para que eu possa estar mais à vontade para, na função de leitor, lhe inquietar — ou não — com outros pormenores nebulosos que ao meu sentir não podem nem devem passar batidos, mas de uma coisa quero que você fique certo: se quis fazer das minhas aparições em sua trama, ou mesmo as do ora desocupado ilhéu Fonseca, um toque de nonsense ou mesmo de suspense à la Hitchcock, tire o seu cavalinho da chuva, ou deste romance, porque quem nasceu para Fernando Vita jamais vai chegar a Alfred Joseph.

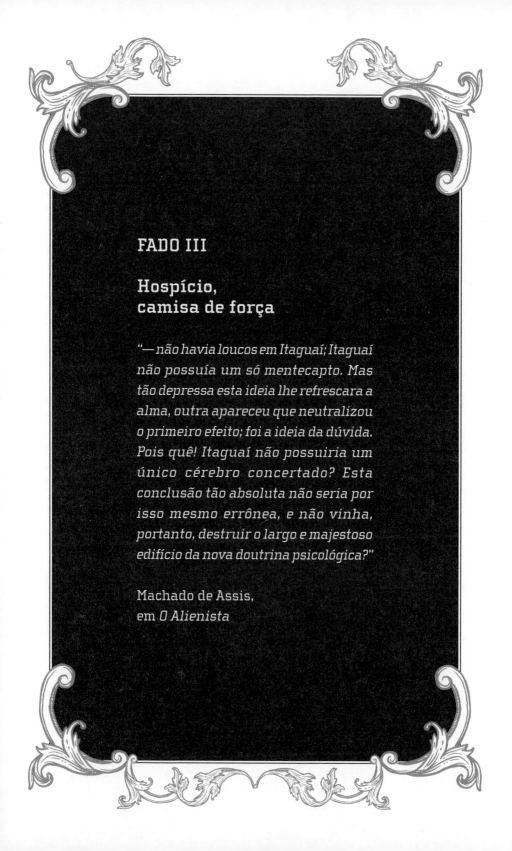

FADO III

Hospício, camisa de força

"— não havia loucos em Itaguaí; Itaguaí não possuía um só mentecapto. Mas tão depressa esta ideia lhe refrescara a alma, outra apareceu que neutralizou o primeiro efeito; foi a ideia da dúvida. Pois quê! Itaguaí não possuiria um único cérebro concertado? Esta conclusão tão absoluta não seria por isso mesmo errônea, e não vinha, portanto, destruir o largo e majestoso edifício da nova doutrina psicológica?"

Machado de Assis,
em *O Alienista*

Eis que você, meu cada vez mais compenetrado leitor, depois de sentida e prolongada ausência — confesso-lhe que ela me trouxe até certa solidão, uma sensação mesma de abandono literário nesses momentos tão definidores e cruciais da minha (nossa, tome por aceito os seus convincentes argumentos!) narrativa — decide reaparecer de repente para expor seus pontos de vista que, mesmo que por inteiro eu nem sempre aqui os acate, não os despreze de tudo, se culpados há desse seu entra e sai impertinente, desgovernado e furtivo nas minhas páginas, culpa maior cabe a mim próprio, que me fui curvando ao seu assédio perspicaz, impositivo e persistente, agora, que jeito, Inês é morta e nós vamos ter que seguir em frente, abraçadinhos que só dois irmãos mabaços em útero materno, já que você dentro delas irreversivelmente já está de malas e bagagens que nelas fique, pois bem, prolegômenos de lado, ao que interessa: preliminarmente já lhe asseguro que nada tive a ver com a patuscada que a chefa do Serviço de Cerimonial da prefeitura de Todavia, dona Lourdinha Pereira — com o apoio unânime dos demais membros do nosso assim

Fernando Vîta

tido estafe — orquestrou no aeroporto de Salvador para recepcionar o prefeito Augusto e a sua minguada comitiva de volta à pátria Bahia, sem trazer na algibeira, conforme o prometido na partida, nem uma mísera pataca sequer dos milhões de dólares que fora buscar em tais organismos internacionais do estrangeiro para botar a comuna na rota do progresso e do melhor desenvolvimento social, apenas relevo, como atenuante, que é esta uma prática — falo das festivas patacoadas em partidas e chegadas de autoridades — deveras comum entre os baianos, o doutor Antônio Carlos mesmo é assaz apreciador desses rapapés, tanto que até quando ele diz que vai ali e volta já tem presepada armada nas idas do que vai que dirá na sua volta, de forma que em sendo AMB um aplicado seguidor — imitador? — das artes de ACM, inquieto leitor, demos por encerrada, como dizem os jurisconsultos, *ad nutum* essa polêmica, matéria vencida, passo ao que de melhor você por ora me traz como contribuição ao *República*, que é justamente o fato de esse seu inquiridor olhar de lince buscar encontrar na sua própria presença personificada no meu romance nuances de esperta artimanha *hitchcokiana*, ou *woodyalliana*, deste modesto escrevinhador, se tais nuances ela tem, juro por Deus que não as almejei deliberadamente ter, não lhe preciso convencer de que o ocorrido se deu por mero acaso literário, você mesmo, talvez sem querer mas querendo, assim o proclama, leitor sincero, quando diz que quem nasceu para Fernando Vita jamais chegará a Alfred Joseph, nem também, complemento eu, a Allan Stewart Königsberg — este, artistagem à parte, o verdadeiro nome de Woody Allen —, que de comum comigo não tem nem o mesmo signo, Capricórnio eu, Sagitário ele, nós dois somos nascidos em dezembro, mas em datas díspares, não vem ao caso citá-las.

Mentecaptos

Diatribes de leitor e autor postas de lado, que só a eles dois elas dizem respeito e a mais ninguém, estamos quase a aterrissar na Cidade da Bahia, sobrevoávamos o Forte de São Marcelo, e o atento prefeito Augusto Braga, no seu próprio dizer, um homem de visão, já vislumbrara do alto o Palácio Rio Branco e me encarregara de, de imediato, pedir audiência, em seu nome, ao governador Antônio Carlos, procure, doutor Vita, o doutor Kleber Monteiro, o secretário particular do que dá audiência, alertou-me, necessitava o prefeito sobremodo e em caráter de urgência com ele conferenciar, a temática da transformação da Bahia em república e as suas consequentes e inequívocas transformações outras em todas as instâncias do poder local, nacional e até mesmo internacional era soberanamente prioritária, ficaríamos hóspedes do tradicional *Hotel São Bento*, ao pé do mosteiro e da Ladeira das Hortas, que do Largo de São Bento leva a outro bem mais largo, o da Barroquinha, que dista muito pouco tempo em caminhada do palácio de despachos do governo e de tantas outras andanças a serem andadas no centro vital da Cidade da Bahia, os consultórios dos médicos que seriam consultados, tanto pelo alcaide como pela primeira-dama — ele iria ao seu oculista, doutor Felice Papaleo, ela ao doutor Hosannah de Oliveira, *expert* no trato das necessidades de saúde da mulher, o primeiro atende na Avenida Sete, nas imediações do *Magazine Florensilva*, ali perto do Relógio de São Pedro, o segundo na Rua Chile, logo depois da *Sloper* e das *Lojas Duas Américas* — assim regressaríamos a Todavia só três ou quatro dias depois, de acordo com o devido cumprimento de todas as nossas necessidades pessoais e políticas, não necessariamente nessa ordem, além do que favoreceríamos à denodada Lourdinha Pereira tempo suficiente para organizar uma nova recepção festiva ao prefeito Augustinho Braga, esta em solo de Todavia, na sua chegada à estação do trem da Estrada de Ferro Nazaré, com direito a foguetes, retreta, novos discursos de boas-vindas e cumprimentos, e na sequência a celebração do solene *Te-Déum* na matriz — o exigiu o monsenhor Giuseppe Galvani, em tudo que se festeje há que se ter o lado profano e o sacro, advertiu o de batina! — assim pensamos e assim agimos, o doutor Kleber — a quem vez por outra AMB encaminha, por Aureliano das Angélicas, para entrega em mãos próprias, prendas em forma de cestas com produtos regionais de muito boa aceitação tanto pelo Kleber em si mesmo já citado como por sua esposa, dona Ruth — foi rápido em encontrar uma brecha na apertada agenda do governador, está mais que confirmada a audiência, dia tal, às horas tais, no Palácio do Rio Branco, martelo batido, prego pregado, pilheriou o secretário particular de ACM, assim que cheguemos a Todavia, doutor Vita, lembre-me de mandar uma lembrancinha para doutor Klebinho, tão amigo nosso quanto o é de ACM, dona Hilda saberá escolher os melhores beijus, a mais fina farinha de mandioca, a mais crocante tapioca, doces rapaduras, além de um litro de melaço de cana caiana e de um bom corte de carne de sol de porco, nenhuma supera a nossa em qualidade, o senhor é testemunha, dia e hora aprazados, estávamos em Palácio, o prefeito e eu, dona Assunção fora cuidar dos aperreios feminis com o doutor Hosannah, nos recebeu à porta maior do Rio Branco o doutor Kleber Monteiro em pessoa, à antessala do governador seu Sebastião — o Governo hoje está em gozo de muita alegria, tranquilidade e paz, até agora, pelo menos! — ele nos afiançou, sentamos, tivemos água e cafezinho servidos pelo garçom João (a este velho servidor público, *stricto sensu*, vez por outra também o prefeito costuma mandar regalos variados, coisas

Mentecaptos

de feira livre do interior, nada demais da conta), não tardou nem cinco minutos e dona Mabel, secretária e escudeira do governador, nos deu acesso à sala de despachos do homem, um ACM todo sorrisos já nos acolheu em meio ao amplo gabinete, cumprimentou-nos com cumprimentos de mãos plenas e afáveis, aí eu já senti na prática o emprego do famoso distingo, deu-me um leve puxão na bochecha direita, enrubesci, mas fiquei feliz com o chamego, ele só o faz em humanos ou não de quem ele gosta, eu já o sabia por ouvir dizer, nos convidou a sentar nos macios sofás e poltronas postados ante uma austera mesa de centro, quedei-me em poltrona, ACM e AMB em um mesmo sofá, juntos, ACM bateu amigável com a mão direita no joelho esquerdo de AMB, meu preclaríssimo prefeito — abriu a audiência — *data venia*, me diga, o que foi que mais lhe chamou a atenção na Europa?, então AMB respostou, solene, o que mais me chamou a atenção na Europa, meu governador e futuro compadre, ilustre, leal e inseparável amigo, a quem nada escondo, o que mais me chamou a atenção é que lá na Europa toda mulher bonita e gostosa já tem dono, que a andar sem machos nas ruas só vi as feias e as despossuídas de gostosura, ACM riu às gaitadas da resposta inesperada, AMB repassou-lhe a gravata de seda pura da lisboeta *Nunes da Costa*, finamente embalada em papel lustroso e atraente, apresentando à autoridade as costumeiras desculpas dos que presenteiam pela singeleza do presente, presente este que foi desembrulhado de forma atabalhoada pelo presenteado, que o elogiou em missa de corpo presente pela textura da seda, singeleza da feitura e bom gosto e inteligência do fabricante em reunir em tão pouco mar de pano fino tantas naus, tantas corvetas, tantos escaleres e que tais, afinal, nada mais apropriado que aquele mimo para lembrar as façanhas dos navegadores de Portugal nos oceanos

Fernando Vîta

bravios do planeta Terra, como se Camões já não o tivesse feito à farta, AMB ficou feliz com o desmanche de ponto tão essencial da audiência, e como preliminar e sequência, citou rigorosa e organizadamente o roteiro que seguira para não deixar de ir a nenhum dos pontos de Paris, Roma e Lisboa previamente recomendados pelo que recomenda, repetiu para o chefe do poder estadual algumas das suas prosaicas opiniões — não todas! — sobre cada um dos atrativos visitados, aí tivemos uma rápida passada de ritualísticos informes sobre a quantas andam a dona Assunção, o Augusto Júnior, a gestão pública em Todavia, os conchavos de bastidores e as tratativas políticas mais comezinhas por lá, AMB sentiu-se o próprio ante tanta atenção e consideração que lhe facultava o que faculta e foi direto ao assunto que mais o inquietava desde sempre, a ideia do Inglês e já agora toda dele, de sugerir a ACM a transformação da Bahia em país e tudo o mais que em efeito cascata viria em todos os setores das vidas municipal, estadual, nacional e até internacional, ACM tomou um choque diante de tão ousada proposição, mas não passou recibo, continuou a ouvir atentamente o arrazoado pormenorizado e detalhadíssimo de AMB, não piscou os olhos, não mostrou espanto, muito menos afobação em acabar com a conversa, então, ACM e eu, trocamos cerimoniosos e cúmplices olhares entendidos, como se ele estivesse a me perguntar, com aquele seu par de olhos espertos, que porra é essa, seu Vita?, e o prefeito nem aí, tocou até o fim todo o seu arrazoado sobre o desarrazoado projeto na maior placidez e segurança possíveis, o que interrompe não lhe interrompeu em momento algum, certas coisas, notadamente as mais absurdas, há que se as ouvir em pormenores, mandam as regras do poder, assim o fez ACM, então, depois de mais um cafezinho bem quente, a promessa de ir a Todavia assim que os problemas maiores da Bahia e do

República dos Mentecaptos

Brasil o permitissem, na demanda de enfim batizar o tardiamente pagão AMB Júnior, alguns retratos foram tirados pelo retratista oficial do governador, um tal de Anísio Circuncisão de Carvalho, conhecido pelos povos de terreiro da Bahia como *Anísio de Obaluaê*, tais flagrantes iriam para as páginas do *Diário Oficial* e de *O Palládio*, com certeza, Antônio Carlos Magalhães retomou o fio da meada, o assunto que você ora me traz é deveras desafiador e delicado, meu caro Augustinho, de tão desafiador e delicado que é peço-lhe tempo para melhor dele me pôr a par, analisá-lo em todas as suas nuances, que elas são muitas, voltaremos com mais vagar e tempo a tratar desta verdadeira revolução institucional que você me está a propor, tenha uma boa viagem de retorno a Todavia, mas antes de pegar o vapor e o trem me responda a um particular, e essa tal de Ariana que lhe corneou é assim tão bonita e gostosa mesmo a ponto de lhe destrambelhar o juízo da forma que lhe destrambelhou e que você, em confiança, me narrou em circunstanciado ofício, porque, em sendo ela esse mulherão todo, e em tendo o amigo já a posto em merecido descarte e desuso, peça por obséquio mas com a urgência cabível que ela se apresente ao nosso doutor Kleber, quem sabe ele lhe consiga uma colocação à altura da sua capacidade em uma das nossas muitas repartições públicas, certamente com ela longe de você, Augusto, de Todavia e bem mais próxima de nós, todo o acontecido, que tantos transtornos lhe trouxe, seja melhor politicamente absorvido e superado, aí os olhares entendidos de ACM foram trocados não mais comigo, mas com o seu secretário particular, doutor Kleber Monteiro, o que para qualquer bom entendedor de olhar, entendido já está, não há carência de que eu tente explicar as artes dos olhares trocados, notadamente quando um dos que os trocam vangloria--se de, a exemplo do batavo tribuno Carlos Lacerda, por enxergar por primeiro se achar que ele vê melhor, o ele aí, o que enxerga antes para melhor ver, óbvio, sendo o próprio ACM.

Já íamos todos deixando o gabinete do governador da Bahia quando ele abraçou-me, de jeito paterno, mas ainda fraternal, levou-me a uma quina da sala e perguntou-me que porra é essa, doutor Vita? De quem é essa ideia exótica, para ficar no mínimo, que me traz o Augustinho Braga? Eu, para poupar o prefeito, disse que ela era originalmente do Inglês. Que porra de Inglês é esse, seu Vita? Quando eu fui tentar esclarecer que Inglês esse Inglês era, ACM subiu o tom, sem aumentar a voz, mas subiu o tom, e disse-me ao pé do meu ouvido direito, esse filho da puta do seu prefeito está desmentado!, desmentado?, estranhei eu, sem saber onde fui buscar coragem para tanto, isto mesmo, seu merda, desmentado, louco, biruta, lelé, aloprado, insano, maluco, sem juízo, pirado ou que nome você queira dar aos desprovidos de siso. Então, categórico, assentou decisório o que decide: dê um jeito de vir aqui em palácio sozinho, sem Augustinho nem filho da puta outro qualquer, ainda hoje, para ver o que vamos fazer antes que essa paranoia se espalhe pela Bahia toda e ganhe novos adeptos. Acerte uma hora com o doutor Kleber, e agora, faz favor, favoreça-me com a sua ausência, como dizia sempre o já ausente marechal Castelo Branco.

Saí em passo de mula picada, que eu não sou besta nem nada, o que embravece estava bravio, mas ainda deu bem para ouvir um grito do que grita em chamamento da secretária dona Mabel, Mabeeeelll, chegue aqui mais que depressa, voando, embrulhe de novo essa merda de gravata horrorosa e repasse como presente para o doutor Mário, que Mário, governador?, perguntou a moça, Kértesz, imbeciiilll, meu amigo Mário Kérstez, porra!, sendo oportuno deixar escrito que tanto o prenome Mabel da secretária quanto o qualificativo de imbecil

Mentecaptos

com que o governador a contemplara em instante não raro de impaciência, foram ditos de jeito enfático, as suas sílabas finais pronunciadas de forma sibilante, a língua de ACM batendo no céu da boca com o inconfundível vibrato que fazia de Mabel Mabeeelll e de imbecil imbeciiilll, ele gostava muito de fazer assim, como se isso desse mais poder às palavras ditas.

Meu caro doutor Vita — alertou-me, afável, o secretário particular Kleber Monteiro, antes que eu deixasse o Rio Branco —, que o senhor aqui volte ao fim do dia, com tempo disponível para a espera, que deve ser longa, porque lhe incluí entre os chamados fora de agenda para uma audiência extra, assim me ordenou o governador, assim o fiz, que não o desobedeço nem sob vara, lhe aguardo, procure-me logo que aqui chegue, então eu avisei ao prefeito Augusto, como motivo deveras plausível de escapatória, que queria um tempo livre para rever o amigo Heliogábalo Pinto Coelho, que ele, pelo menos de nome, já bem conhecia, para com o HPC dito poder tomar uns tragos e permutar umas ideias — não é de hoje que eu e Heliogábalo nos damos como íntimos — e aí pelas seis da tarde voltei ao palácio, o secretário Kleber — que por osmose também adota o distingo do que distingue! — já não me esperava à porta maior do Rio Branco como o fizera pela manhã com AMB, seu Sebastião não, este permanecia, como sempre, abancado por detrás da mesma mesa sem papéis no tampo, um enigmático personagem engravatado a apreciar a paisagem palaciana, o

Fernando Vîta

Governo está irritadíssimo, anunciou-me, sisudo, de jeito grave, um mal sinal, logo pensei, mas que jeito, abanquei-me, fiquei a ouvir aquela prosa sem rumo e sem nexo, típica das antessalas dos que detêm poder ou retórica — governadores, médicos, advogados, edis, prelados, agiotas, delegados de polícia, juízes, gerentes de banco e outros menos citados —, entupi-me de água gelada e cafezinho quente como forma de espantar a estranha angústia que assola os que esperam qualquer coisa e angustia ainda mais aqueles que estão no aguardo de Antônio Carlos Magalhães, notadamente em momentos em que seu Sebastião, sabido perscrutador do humor mutável do seu chefe, prenuncia que o Governo está irritadíssimo, fui ao mictório não menos que seis vezes, desse jeito foi o vagar das horas até perto das dez da noite, quando uma, com cara de esgotada, dona Mabel secretária me fez entrar na sala de ACM, sentado ele estava à sua cadeira de governador, sentado continuou, estava a assinar uns papéis e só falou, nem me encarou, me conte sem esconder nada, de onde doutor Augusto tirou essa ideia estapafúrdia de virar pelo avesso toda uma estrutura legal de ordem política, jurídica e constitucional estabelecida no Brasil para em lugar dela pôr uma outra ao seu bel-prazer, na mira de que eu vire presidente da República da Bahia, ele governador do Estado de Todavia, e a puta que o pariu, doutor Fernando Vita, ela mesma, a puta que o pariu certamente venha a ser a senhora prefeita de outra porra qualquer, onde o senhor se encontra que não percebe, não vê, não constata que o seu prefeito está a surtar?, então só aí ACM me descobriu em pé, com as mãos para trás, com a cabeça arriada, própria dos que têm alguma culpa no cartório mesmo sem a ter de tudo, agora faça o favor de se sentar e comece a falar, desembuchar, cuspir tudo o que o senhor sabe e até o que o senhor não sabe, mas

República dos Mentecaptos

ao menos presume, o senhor não me soa ser um idiota, um beócio total, desembuche, pois, então eu disse, excelência, pouco tempo depois que eu cheguei a Todavia, posto lá em sinecura por vossa excelência mesma, pelo que aproveito tão raro ensejo para firmar que muito lhe agradeço... Doutor Vita, caralho — interrompeu-me o que interrompe e nunca deve ser interrompido — era alferes Tiradentes..., ironizou o que ironiza como se eu almejasse lhe alugar os ouvidos para uma infindável lengalenga, deixemos de auréolas — como dizia uma viúva com quem me dei muito — e vamos ao que interessa, faz favor, que eu não tenho tempo a perder nem com Todavia, nem com o seu prefeito e muito menos ainda com um merda como o senhor, venha cá, me diga logo uma coisa de importância fundamental ao meu entendimento, essa maluquice do Augusto Braga começou antes, durante ou depois que ele levou galhas dessa moça Ariana?, por oportuno me esclareça, e eu esclareci, governador, não tenho como precisar detalhes, porque dentro da cabeça do prefeito eu não estava no passado e nem estou no presente, é óbvio, então ACM deu um tapona de mão aberta no centro da mesa de despachos que mais assemelhou a uma bomba de mil megatons a explodir, tal o ribombo causado, porra, aqui quem diz o que é óbvio e o que não é óbvio — gritou o que grita — sou eu, que tive mais de um milhão de votos dos baianos para poder sentar nesta porra de cadeira, e não você, seu coisa nenhuma, um absoluto desimportante que, se não fosse eu, hoje estaria a levar sopapos dos milicos e a ser enrabado nas masmorras dos quartéis, seu comunistinha de fachada, aí eu tentei remediar o irremediável e sair, ainda que meio grogue, do canto do ringue, pedi mil desculpas, milhões de perdões, pelo é óbvio em má hora mal dito, acho até que tive um acesso de choro convulsivo, o governador berrou Mabeeelll, Mabel

Fernando Vîta

veio mais que correndo, mande João Garçom trazer um copo de água para esta criatura, ela não é boa de receber esporro, se desmancha como se fosse um pudim, se desmilingue toda, espantou-se o que, às vezes, ainda se espanta, João chegou, bebi a água, quase que engasgo, acalme-se, doutor Vita, não repare os meus maus modos, hoje eu não estou para muita prosa, então me diga, sem acanhos nem falsos pruridos, em que fase dos problemas da tomada de chifres Augusto Magalhães Braga começou com esta maluquice sem pé nem cabeça, eu, então, para não mais correr riscos de esbregues desnecessários, falei com a firmeza pouca de que ainda dispunha, que foi logo depois que ele soube que a vendedora de produtos da *Avon* Ariana, Ariana de quê?, quis saber o que gosta de tudo saber, não sei lhe precisar, excelência, só sei que o vulgo a trata por *Belariana*, certas vezes outras por *Segunda-Dama*, ela é uma mulher muito bonita e bem apessoada, lhe diria mesmo que tem porte de miss Brasil e aparência de sereia do mar, os olhos e os ouvidos de ACM aguçaram ainda mais a atenção no meu relato, porém, como eu estava a lhe dizer, governador, prossegui, quando o prefeito descobriu, por intermédio da inteligência investigativa da dona Taiai do Serviço de Informações Institucionais, serviço de quê mesmo?, estranhou o que estranha, de Informações Institucionais de Todavia, o SII, eu lhe disse, então estamos verdadeira e literalmente fodidos, sussurrou o que às vezes sussurra, um serviço de informações institucionais em Todavia, quem viu Naninha, em que mundo estamos, admirou-se o que admira, descobriu mesmo o que, essa dona Taiai, foi incisivo o governador, descobriu — abri o jogo — que a tal da Ariana estava a cornear o nosso alcaide com quase todos os varões do município e de municípios circunvizinhos — Mutuípe, Amargosa, Nazaré das Farinhas, Cruz das Almas e por aí vai,

República dos Mentecaptos

o Recôncavo inteiro, quase meia Bahia — foi então, por essa mesma época, que ele me levou para uma tal reunião dos sábios de Todavia, sábios de onde?, interrompeu-me mais uma vez o que interrompe, batendo de espanto com as mãos à testa, sem ao menos me deixar recuperar o fôlego e dissertar sobre o Inglês e as suas ideias, que porra de sábio tem lá naquela merda, doutor Vita, me diga, por favor — o governador não me permitiu resgatar a teia da conversa e prosseguiu — então eu já lhe garanto sem delongas o que se deu, e o que se deu foi que o prefeito de Todavia Augusto Magalhães Braga surtou, ficou maluco, depois que virou corno, está aí o diagnóstico preciso, doutor Vita, eu diplomei-me em médico, mas na prática da medicina reconheço que sou absolutamente inapto até mesmo para aplicar uma simples injeção, experimentei uma única vez fazer isso, logo com a minha sogra, a mãe de dona Arlette, e foi um horror, o seu braço esquerdo quase necrosou, o meu sogro, o velho seu Maron, ficou puto comigo, mas de maluco eu entendo, mesmo sem ajuda da psiquiatria, conheço um doido com um simples olhar, escreva aí que esse seu Augusto prefeito está irrecuperavelmente desprovido de qualquer juízo, doido, doido, não tarda a atirar pedra e a comer cocô, queimar dinheiro não creio que ele venha a fazer, a sua loucura, imagino, ainda não o leva a tanto desatino, além do que, sei de certeza certa, Augustinho está mais para quem rouba a gaita do erário do que para quem a queima, então, o que aqui temos, doutor Fernando Vita, senão um meu correligionário da primeira hora, um sujeito de uma lealdade sempre comprovada, bom de voto, que a mim, na política, nunca faltou nem jamais haverá de faltar, e que, miseravelmente, está em estado de completa alucinação por causa de uns chifres mal resolvidos, então carece que sejamos pragmáticos, dos tais chifres, garanto-lhe, doutor

Fernando Vîta

Vita, já estamos a cuidar, doutor Kleber Monteiro saberá prover os meios para o deslocamento dessa moça Ariana de tantas prendas e belezas aqui para a capital, assim afastados de Todavia o pecado mortal, a concupiscência, lá sobreviverá a virtude original, do juízo do prefeito também haveremos de cuidar, diga-me, doutor Vita, a que médico ele usa ir quando tem algum desencontro, algum desconforto de saúde, ao doutor José Antônio Fonseca, respondi-lhe bem depressa e mais depressa ainda acrescentei que esse ilustre facultativo hoje vive de calção de banho a flanar por Cacha Pregos, o Fonseca, José Antônio?, um parlapatão de mão-cheia?, esse mesmo, eu acho, acautelei-me, o senhor acha ou tem certeza?, tenho certeza, respondi, pois então, ele foi meu contemporâneo desde o *Colégio da Bahia*, o saudoso *Central*, formou comigo, foi da minha turma na Escola de Medicina da Bahia, garantiu, seguro, o que garante, pois bem — foi em frente Antônio Carlos Magalhães —, descubra onde ele anda, seja em Cacha Pregos ou que inferno for, peça-lhe um laudo sobre tudo que ele sabe a respeito da saúde de Augustinho, feito o que nós o encaminharemos, com muito jeito, desvelo e carinho, a outro contemporâneo meu dos bancos acadêmicos, o famosíssimo psiquiatra Norival Sampaio, que porá o juízo do seu prefeito de volta ao lugar, ainda que sem lhe tirar as galhas que lhe enfeitam a cabeça que isso é tarefa impossível, nem o Norival nem o Fonseca podem dela dar cabo, ficamos combinadíssimos assim, sacou da caneta o governador do estado, escreveu rapidamente um cartão me encaminhando ao doutor José Antônio Fonseca, justo o Fonseca que me fez vir à luz, agora chamado a ajudar a iluminar o juízo do prefeito Augusto, então Antônio Carlos apertou-me a mão, o distingo já não foi o mesmo do que antecedeu à audiência da manhã, mas não tenho do que me queixar, saí inteiro do

República dos Mentecaptos

Palácio Rio Branco, sem grandes danos a lamentar, e ainda respondi a seu Sebastião, antes mesmo que ele me importunasse com a pergunta de como estava o Governo, o Governo está preocupado, disse eu e fui mais que depressa para o *Hotel São Bento*, por hoje chega de emoções, achei por bem pensar, mas antes tomei umas cervejas geladas com tremoços no *Cacique*, na Praça Castro Alves, fui às putas no *Ocê Quem Sabe* da Rua do Tesouro, já que o *Castelo da Maria da Vovó*, numa transversal à direita de quem desce a Ladeira da Praça no destino da Praça dos Veteranos, estava botando putanheiro pelo ladrão, e era cedo ainda para eu ir dormir, contudo.

Escornei-me, solidário, no *Ocê Quem Sabe*, tantos eram os parceiros de esbórnia já suficientemente escornados a *Cuba Libre* e a boleros de Waldick Soriano naquela noite de boemia, o tradicional puteiro era de posse mansa e pacífica de um velho confrade das lides de imprensa, o radialista Jaime Cordeiro, ele também, tal qual Heliogábalo, cobria as atividades do porto da Cidade da Bahia, só que para a *Rádio Sociedade,* isso ele o fazia de dia, de noite todos os gatos são pardos, de maneira que Cordeiro tocava o mafuá da Rua do Tesouro com muita competência, zelo e capricho, suas putas — sempre jovens e quase meninas! — trajavam-se com trajes moldados a despertar fantasias sexuais as mais díspares e lúdicas no pouco seleto — ainda que vário! — grupo de frequentadores, havia raparigas vestidas de freiras ou de noivas virginais, outras de normalistas do secular *Instituto de Educação Isaías Alves,* ainda outras com fardamento do respeitabilíssimo *Colégio Severino Vieira,* olha lá no canto duas delas paramentadas como enfermeiras de ambulância, há ainda uma única que se veste como a *Branca de Neve*— sem os anões, contudo — do Walter Elias Disney, que pândega surreal aquela,

Fernando Vîta

meu Deus, digna da imaginação de um Federico Fellini ou de um Luis Buñuel, o considerado empresário da noite de tão feliz ficou de me ver de volta ao antigo aconchego que achou por próprio convocar velhos amigos meus de idos tempos de notívago para confraternizarmos, vieram o repórter de polícia Alberto Miranda, o retratista de jornal Raimundo Vigota, o comentarista esportivo de rádio Carlos Libório, tendo como parelhas de farra os periodistas Raphael Pastore Neto, Marcelo Simões e Tasso Franco, o famoso advogado de porta de cadeia Moacyr Ribeiro, e com ele o poeta Jehová de Carvalho, de sorte que quando o igualmente arregimentado Heliogábalo Pinto Coelho deu as caras no amplo salão, em estado de sobriedade poucos ele encontrou, celebramos a mais não poder celebrar as nossas virtudes e os nossos defeitos e, saideiras todas elas bebidas depois, fomos, em trôpega marcha batida, ao feijão da Baia, esta Baia uma desbocada puta já em recesso de foderes a peso dos anos tantos passados em lupanares da capital e que agora fazia da sua comida de todas as noites, as noites todas, em uma esquina da Rua da Ajuda, o santo alimento para os que dormiam muito tarde ou acordavam muito cedo, só então, com o carnal satisfeito a bastante charque, paio, miúdos de boi e feijão, condimentados com primoroso molho lambão, cheguei, nem sei como, o sol já se abrindo em solene alvorada, ao *Hotel São Bento*, acordei com o prefeito Augusto a bater à porta do meu quarto às nove e a querer bisbilhotar o que houvera de errado comigo tal o pouco usual sumiço da véspera, eu disse que nada, apenas amigos reencontrados, emoções recobradas, eu lhe entendo perfeitamente, mostrou-se compreensivo, então ele disse, pois bem, pegaremos amanhã o vapor das sete da manhã, partiremos de trem de São Roque do Paraguaçu aí pelas oito e pouco, chegaremos a Todavia por volta das duas da tarde,

Mentecaptos

haveremos que ter festa boa na estação, hoje ainda concluiremos — eu e dona Assunção — as nossas idas aos doutores, vá você descansar em paz, que a sua cara de ressaca não lhe deixa apto a me acompanhar a canto nenhum, não me esconda nada que eu não gosto, você foi ao mulherio, passar bem e até amanhã cedinho para irmos de carro de praça daqui do hotel para o Cais da Bahiana, passar bem, desejou-me de novo o prefeito.

Já em Todavia chegados — desnecessário se faz falar das tropelias colossais do périplo em navio de baixo calado e trem de muito barulho —, confesso que pouco atentei para o beija-mão colossal, o pega e agarra de povo besta em político empolgado, asseclas até assentaram AMB em ombros de carregadores profissionais previamente remunerados por Lourdinha do Cerimonial, com demão valiosa do tenente-coronel Elson, da Casa Militar, o alcaide não colocou os pés no chão da plataforma do trem ao palanque solenemente embandeirado da Praça Félix Gaspar, onde a discurseira foi longa no comprimento e ainda mais farta em adjetivos, do *Te-Déum* na matriz nem se fala, monsenhor Galvani caprichou em sermões e detalhes, não preciso dizer de foguetes a pipocar nos ares e filarmônicas a desafinar na terra, de velhos a desmaiar e nem de crianças a chorar, de aplausos, vivas, apoiados, bêbados e doidos mansos também houve fartura, que fique claro, mas meu pensamento vagava bem além dali, a turbulenta audiência em privado com o governador Antônio Carlos como que desparafusara o meu juízo, a farra colossal no puteiro do confrade Cordeiro só o desparafusara ainda mais, retomei o siso, comecei a me dar conta de que a paranoia politicamente transformadora de Augusto Magalhães Braga já tinha ido muito além do desejado, se eu a queria enredo, trama, história para fazer livro ou já eu a tinha o suficiente armazenada ou que a fosse caçar em outra

Fernando Vîta

seara, agora a missão que de alguma forma me fora passada por ACM era a de estancar essa loucura do prefeito, ali mesmo, ainda na estação de Estrada de Ferro Nazaré, combinei com um pracista achegado meu, Carlinhos Cuscuz era o seu nome, para ir com ele, em sua *Rural Willys* de praça, dia seguinte cedinho, em demanda a Cacha Pregos, estar com o médico Fonseca premia, assim combinamos, assim fizemos, de maneira que quando chegamos ao bangalô do formidável estudioso — mesmo que diletante! — dos prolegômenos mais evidentes a explicar a fartura de malucos em Todavia, ainda ele estava a empanturrar-se de farto desjejum, nos fez comensais à ampla mesa, as iguarias eram muitas, pense o leitor que até mesmo uma moqueca de beijupirá, bem puxada no dendê e na pimenta de cheiro, nos foi disponibilizada, aquilo sim é que era um café da manhã de respeito, encantaria e faria babar de legítimo prazer até mesmo Pantagruel, disse isso ao anfitrião, que ficou feliz com o elogio, ele trajado em calção de banho e com o peitoril cabeludo sobre barriga basta exposto, deixamos o chofer Carlinhos Cuscuz a dormitar numa rede de varanda e fomos para debaixo de um florido cajueiro para nossa conversa em particular, dei-lhe o cartão que lhe mandara o governador da Bahia, nele o Fonseca médico era tratado por ACM como "meu querido amigo Fonsequinha", a amizade velha entre ambos assim o permitia, dizia o escrito que o portador, eu no caso, era da sua confiança e lhe explicaria o motivo mesmo de vir a ser quebrada a paz do destinatário em Cacha Pregos em busca da produção de um breve, informal e sigiloso laudo médico, explanei com todos os detalhes e pormenores possíveis as ideias amalucadas do prefeito de Todavia, pedi-lhe perdão mais uma vez pelo incômodo da não anunciada visita, o médico falou deixe de besteira, isso não é nada diante da trabalheira que foi

Mentecaptos

fazer você vir ao mundo, meu caro, em noite de chuvas, raios e trovões, você não se lembra, mas eu sim, portanto, vou dizer-lhe como diria o meu velho colega de juventude, o Toninho, *Malvadeza* para uns, *Ternura* para outros tantos, hoje ACM, *Cabeça Branca*, governador da Bahia: para os amigos, tudo. Para os inimigos, nem as penas da lei! Agora — disse-me o médico — mais que depressa vou lhe arrumar um calção, vamos bater perna pela vila, depois mergulharemos nesse marzão, tomaremos umas e outras na beira da maré, almoçaremos um guisado de guaiamum na birosca de um nativo de apelido *Boneco*, descansaremos depois em casa até o sol esfriar um pouco, não se preocupe que você já sai daqui levando em mãos para Toninho tudo que eu penso do juízo de Augustinho, muito sei dele pelo que ouvi de várias fontes, entre elas ele próprio, deixe comigo, agora vagabundemos um pouco, que Cacha Pregos desde os tempos dos tupis, tupinambás e tapuias só serve pra isso mesmo, vagabundear.

Carlinhos Cuscuz e sua *Rural* ficaram ao aguardo. Ele, na rede a dormitar; ela, estacionada à sombra de uma amendoeira pródiga em sombra. E assim foi até que com o sol quase se pondo sobre o mar da Baía, Cidade da Bahia como fundo, pegamos o caminho de volta a Todavia, fartos de tão bem tratados que fomos, laudo do médico José Antônio Fonseca bem guardado em envelope de papel pardo para ser entregue em mãos "ao amigo Toninho".

Há quanto tempo, Toninho, que não nos falamos, nem com vagar nem sem vagar, o que atribuo bem mais à vida de muito fazer que você leva que mesmo à minha, que nada faço, seu emissário, esse Fernando Vita que como médico tirei do ventre da mãe, se ousadia tanta você o dispensar, que loquaz ele é e muito, poderá lhe narrar em que bem-bom hoje vivo em Cacha Pregos, depois de passar anos a labutar com amalucados e assemelhados que tais em Todavia bem que o faço por merecer, se lá não auferi fortunas também não as dispersei, assim posso ir levando à minha custa — filhos já criados e encaminhados — os dias que me restam neste vale de lágrimas sem ter a necessidade de fincar um prego em barra de sabão para sacana nenhum, aqui não leio jornal, não escuto rádio e muito menos vejo televisão; literalmente coço o saco, o pouco que sei das pessoas e das coisas o sei por ouvir falar — o ilhéu, por tradição, fala que é um horror, você que

Fernando Vîta

como eu tem casa aqui na Ilha, ainda que não a desfrute como deveria, sabe disso –, preambulo tanto apenas para lhe dizer que se saio por ora desse meu exílio voluntário para pôr os bedelhos em demandas alheias o faço exclusivamente em louvor à nossa velha camaradagem, ela também responsável única por este seu amigo aqui botar a cada quatro anos uma domingueira no corpo apenas para votar em você, quando candidato você é a qualquer coisa, ou em outros disputantes a quem o amigo indique, nunca lhe faltei nas pelejas eleitorais dos velhos tempos de grêmios, associações e institutos da vida de estudante, como haveria de lhe faltar agora, em batalhas por votos sempre, cada dia mais, encarniçadas? Mas, vagabundo assumido eu, trabalhador braçal você, sem delongas vamos ao que interessa: é o prefeito de Todavia, este Augustinho – que se arvora a ser seu amigo tão do peito próximo a ponto de esperar-lhe há décadas para compadrio em batismo de filho! – doido, maluco, maluco doido, doido manso ou todas essas categorias de disenterias mentais juntas, agrupadas em uma só? Vamos por partes, então.

    Sabe bem você, Toninho, que para não laborar em causa própria e ter que cuidar eu mesmo do meu juízo, sabidamente desencontrado de forma aligeirada – labor que não me faria auferir honorários, a não ser que eu próprio me tratasse e eu mesmo me abonasse por serviços prestados! – nunca quis especializar--me em psiquiatria, como o fizeram, aliás, apenas para ficar em dois camaradas da nossa turma na Escola de Medicina da Bahia, o Rubim de Pinho e o

Mentecaptos

Norival Sampaio, optei pela clínica geral, vim tentar a sorte em Todavia, e de lá, por azar, nunca saí, e se de alguma forma passei a interessar-me por distúrbios do juízo o fiz mais por mera curiosa e diletante observação psicológica e pela abundância de dementes localizáveis no esquecido cu de mundo que me acolheu que mesmo por natural vocação, eu não os escolhia, os dementes, eles a mim escolhiam, de maneira que quando me dei conta de mim, para cada aprumado de juízo que eu consultava, encarava dez avariados da razão ou mais, assim, os atendendo sempre com muito zelo, botava a comida na boca da minha mulher e dos meus filhos, pagava alugueres e outras comezinhas despesas, aprumei-me mesmo a ponto de comprar a casa onde hoje vivo na Ilha de Itaparica, nesta Cacha Pregos que me acolhe e satisfaz tão bem, se não beira nem de perto a ser a mansão que é a sua na Penha da mesma ilha, uma fodida tapera também não o é. Mas, admito, tergiverso, vamos ao que interessa que o vagal aqui sou eu, não o governador Toninho, quem diria, caríssimo amigo, tantas e quantas aprontamos juntos aí nessa Bahia, o Campo da Pólvora, o Largo do Tororó e o Terreiro de Jesus são testemunhas, mas deixemos isso pra lá, tempos juvenis que já não voltam mais, mas que contam, tão lembráveis que eles são...

Augusto Magalhães Braga — que me valha a minha boa memória, que prontuários de filho de uma puta de cliente nenhum já não os tenho, os queimei no fogo todos antes de sair de Todavia para Cacha Pregos, não viria eu malandrear aqui

Fernando Vîta

trazendo na bagagem tais pesadelos! — não era um cliente contumaz, seu filho, o Augusto Júnior, e a sua mulher, a dona Assunção, não, esses apareciam com regular frequência, os males dos dois não iguais, no entanto, os do primeiro na maioria da vezes doenças do mundo — gonorreia, cancro mole ou duro, mula, chato nos pentelhos — as da sua mãe coisas comuns no dia a dia de uma mulher já pra lá dos quarenta, menstruação farta ou contida, antecipada ou atrasada, orientações sobre o melhor uso do disco regulador da fertilidade feminina, o adjutório de mezinhas homeopáticas, nada de mais profunda exigência do que aprendemos — eu mais que você, Antônio, que nunca quis porra nenhuma com o estudo da medicina, para desespero e desgosto do seu pai, o velho e sábio professor Magalhães Neto! — assim dos dois — da mãe e do filho da mãe! — nada posso cultivar que venha a calcetar a trilha que venhamos a seguir juntos no destino de antecipar princípios para melhor entender o funcionamento do juízo do prefeito de Todavia, à luz do que me contou, à exaustão, o seu recomendado Fernando Vîta, isso antes de se entupir o positivo supracitado de cachaça de folha e cerveja, tira-gostos variados e guisado de guaiamum no boteco de Boneco, feito o que adormeceu como um balão apagado, tive que acordá-lo na marra, com a ajuda de um tal de Cuscuz pracista, pôr em mãos o laudo que ora lhe faço e despachá--lo de volta a Todavia, assim não fora creio eu que Cacha Pregos estaria a ganhar um outro vagabundo além de mim, mas, sim, falemos do juízo do Augusto

República dos Mentecaptos

Magalhães Braga, e eu lhe serei, como sempre, sincero e vero em lhe afiançar que dele pouco sei, porque o xibungo nas pouquíssimas vezes que me procurou em consultório falava muito mais de você, Antônio Carlos, que dele mesmo, o que me causava uma certa estranheza mas não estupor, haja vista que se falar de você na Bahia mais mesmo do que da Bahia em si mesma não seria razão para espanto, entretanto, para ficar num exemplo bem esclarecedor, numa das primeiras vezes em que atendi como clínico o Augustinho indaguei-lhe a idade e ele me disse que era a mesma sua, Toninho; o peso, ele me disse que beirava o seu; a altura, a mesma, assegurou-me; o senhor fuma — indaguei-lhe — fumava muito, doutor Fonseca, mas um dia ACM retou comigo porque eu acendi um Minister com filtro dentro da Kombi que nos levava para um comício no Comércio de Jaguaripe, eu joguei a disgrama do cigarro fora e nunca mais acendi outro nem haverei de acender, garantiu-me o cliente; e o senhor bebe — quis eu ainda saber — bebo que só a porra, doutor, mas se ACM mandar que eu pare eu paro, e assim foram todas as demais vezes que ele aqui esteve, para meu desconcerto sempre falou mais de você, governador Toninho, que dele mesmo, tipo assim, se alguma coisa me fez notar na sua personalidade foi uma indescritível vontade, um avassalador desejo que Augusto Magalhães Braga tem, possui guardado eu não sei em que recôndito da alma ou do entrecasco, de um dia vir a ser na vida Antônio Carlos Magalhães, esforça-se para isso no vestir, falar, andar, mandar, desmandar, tresandar, não sei se esse é um desejar factível, possível, plausível, isso eu não sei, mas é o quase laudo que lhe passo, amigo Antônio, e que os doutos da psiquiatria e da psicologia, Norival ou Rubim, lhe ajudem mais que eu, mas antes que eu esqueça deixe que lhe diga: soube por dona Assunção, a primeira-dama, que um dos grande desejos do Augusto é ter os dois dentinhos frontais, os superiores, assim meio apartadinhos como os seus, ele acha que na prática da política esse sorrisinho de coelho esperto e sacana que só você sabe sorrir ajuda por demais da conta a cativar eleitores, não sei se você concorda, mas que o AMB anda atrás de um dentista que opere essa proeza, anda.

 Fiquemos por aqui, amigo, e que você, em hora de vontade de relaxar, vindo à Ilha me avise, por favor. Sempre estamos a falar de você — João Ubaldo, que aqui também se esconde, e eu — quando às vezes nos encontramos na Fonte da Bica a pegar a água mineral de Itaparica, que, no dizer do povo, faz velha virar moça e velho virar menino, o assunto é sempre você, e antes que a sua aguda curiosidade de tudo querer saber lhe leve a me indagar o que aqui faz o filho do seu amigo e velho e histórico adversário político Manoel Ribeiro, o dito Ubaldo, já lhe informo, diz lá ele que está a escrever um livro sobre o povo brasileiro, pode ser que sim, pode ser que não, pode ser que talvez, eu sempre o vejo a comer moqueca de baiacu no mercado municipal ou a beber uísque barato no Bar do Galego com um culhudeiro, metido a filósofo, de nome Zé de Honorina, se ele está a

República dos Mentecaptos

escrever alguma coisa sobre o nosso povo o faz no cu da madruga, de sorte a ninguém saber, eu, da minha parte, acho que o filho do doutor Manoel herdou do pai a sabedoria toda e do avô, o coronel Ubaldo Osório, uma sede incomensurável por coisas de beber, o próprio João alardeia que ele mesmo nunca flagrou o avô coronel a botar um copo de água, mesmo a da Fonte da Bica, em sua vetusta boca, era sempre vinho, nada mais que vinho, nunca nem cafezinho menor, o coronel Ubaldo, que viveu tantos anos em gozo de saúde que quase ficou para raiz!

    Feito o feito, feito está, então aceite o meu fraterno abraço, amigo Toninho, com recomendações minhas a dona Arlette e beijos nos seus meninos.

Eis que chega a Todavia, em missão ultrassecreta e, portanto, mais que óbvio, sem prévio aviso, em automóvel sedã discreto, com placa fria do distante município de Quijingue, sua excelência o senhor chefe da Casa Militar do Governo da Bahia, o lealíssimo coronel Alexandre Mares, acompanhado de um major ajudante de ordens e de um chofer com patente de cabo PM, não cumpre, por desimportantes, nomeá-los, mas é dever de justiça para com a história registrar que o coronel Mares — um moreno amendoado, de boa altura, espadaúdo, grisalhos cabelos e bigodes bastos, óculos de lentes assemelhadas a fundo de garrafa — não passaria despercebido, e nem anônimo, em nossa paisagem de província nem se aqui chegasse ao breu das madrugadas que dirá!, primeiro porque a gente daqui toma parte de tudo o que se passa em quente, na primeira hora, em tempo real, não importa que hora essa seja, principalmente se o tudo o que se passa venha de fora sob que forma venha, ainda que em ectoplasma transmutado será notado, anotado e devidamente escrutinado, e segundo porque o chefe da Casa Militar do Governo da Bahia envergava a sua pomposa farda

Fernando Vîta

de alta patente, rica em alamares e divisas, medalhas e distintivos, dirigiu-se ele a passos firmes e calculadamente marciais à prefeitura — era então uma manhã de segunda-feira sem previsíveis novidades na cidade —, requereu que se buscasse com a urgência devida, onde quer que estivesse, o prefeito Augusto Braga, e isso foi feito de forma arisca e rápida, AMB estava a tosar o cabelo na *Barbearia Cristal,* recado recebido deixou Edgar Barbeiro com a tesoura e o pente no ar, saiu com o corte mal finalizado de um lado e pior arrematado do outro, a urgência e o inesperado do momento o exigiam, e em chegando à sede do poder municipal já encontrou o coronel Mares de posse da cadeira de cabeceira da sua mesa de reuniões, café e água já servidos por dona Hilda Pimenta secretária, não precisou nem abrir a boca para ser convocado a abancar-se bem depressa, o graúdo do governo estadual, por ordem peremptória do que sempre peremptoriamente ordena, disse-lhe estar em missão oficial e secreta, secretíssima, para trazer-lhe informes, orientações, determinações, ordens mesmas em nome do excelentíssimo senhor governador do estado da Bahia, doutor Antônio Carlos Peixoto de Magalhães, que o prefeito, por gentileza, se sentasse à mesa, não sem antes passar de viva voz orientações a segundos e a terceiros para não ser interrompido por maior que fosse a força e o poder do eventual agente da interrupção, Deus abaixo, a não ser que ele fosse o governador em pessoa, mais ninguém, feito o que tirou o militar o telefone negro-mudo do gancho para mais mudo ainda deixá-lo, pôs as duas pernas, a partir dos coturnos brilhantes de tão polidos a graxa, sobre o tampo da mesa, assim buscou mostrar superioridade autoritária e hierárquica perante o alcaide, ainda que, não obstante, por zelo, simpatia e bons modos tenha atribuído a postura pouco cerimonial às cãibras que vez por

República dos
Mentecaptos

outra lhe atacam os membros de andar, e que desta nossa conversa nada vaze e nem circule — prenunciou o coronel Mares — são as ordens expressas do que expressamente sempre ordena, vamos ao do que se trata, saiba o senhor prefeito — é o que encarregou-me de lhe transmitir o governador Antônio Carlos — que as ideias que lhe foram levadas em pessoa, recentemente, pela autoridade maior de Todavia ali presente — quais ideias elas, de tão secretas, nem ele próprio, o mensageiro oficial do governador, sabia! — estão sendo analisadas em caráter de segredo de estado por não mais que um único especialista especialíssimo em aprofundar-lhes as implicações e bifurcações, era ele um verdadeiro mestre, o suprassumo em direitos de todas as espécies — os civis, os constitucionais, os comerciais, os fiscais, os internacionais, todos eles, sem exceção alguma — em assim sendo, que permanecesse o prefeito de Todavia em silêncio tumular para não criar entraves às tratativas já andantes em boas e largas passadas, e que enquanto isso, como o reconhecido autor e patrono da cuja ideia, se limitasse a passar para o papel pautado, de próprio punho e em documento único, sem carbono que lhe gere cópias, todos os seus pormenores, mesmo os mais desimportantes, de forma minudente, detalhada, circunstanciada, tarefa, que ao ver do experiente homem público que é o nosso governador, lhe exigirá, meu prezadíssimo doutor Augusto, não horas, mas dias; não dias, mas meses; não meses, mas anos; não anos, mas décadas, tais as consequências que as transformações empiricamente propostas por sua excelência ao ocupante magnânimo do Palácio Rio Branco trarão aos destinos da Bahia, do Brasil e do mundo, quais elas não sei, apressou-se o fardado em repetir, mas tem que ser assim, e eu percebo que o senhor entendeu perfeitamente o recado, a mensagem, sou mero porta-voz de uma voz que

Fernando Vîta

não é minha, mas do que a tem tão mais voz que a voz dos outros que por vezes a delega a seus subordinados de extrema confiança, ali, no caso, o coronel da Polícia Militar do estado da Bahia, na função de chefe da Casa Militar do Governo, Alexandre Mares, operante, afirmativo e positivo, vamos então, preclaro prefeito Augusto, à outra parte do recado do governador: que o senhor — mesmo com a intransferível e secretíssima e hercúlea missão que lhe foi confiada, de elaborar um tratado, um arcabouço sobre as tais mirabolantes ideias — não se descure nem por um segundo em buscar ganhar as eleições em Todavia em todos os níveis possíveis, como sempre o fez, de vereador a prefeito, de deputado estadual a deputado federal, sem esquecer do principal, o novo governador e o senador da república, à hora própria os nomes dos respectivos postulantes a cada posição, figuras do peito do doutor Antônio Carlos, lhe serão repassados, como de costume, porém já lhe adianta o que adianta os seus desejos ainda que por meio de mensageiros juramentados, que na política local, a de Todavia, pela qual ele sempre manteve superior interesse, acha de muito bom alvitre que o prefeito Augustinho, em não podendo virar prefeito de novo por prefeito já ser, submeter ao escrutínio do povo o nome da sua respeitável e estimada senhora, dona Assunção Braga, a quem ele respeita, estima e sabe que será a pessoa ideal para dar sequência à gestão atual, até lembrou dos compromissos que o senhor, doutor Augusto, tem com o presidente da Câmara Municipal, o tabelião Ademar Jacinto de Queiroz, de um dia fazê-lo mais que um prefeito-tampão, prefeito de fato, não obstante determina o nosso governador que isso fique para eleições futuras, elas se fazem a cada quatro anos e o velho Ademar, aos setenta bem vividos, é ainda um jovem e saudável correligionário, não há de perder por esperar

Mentecaptos

no exercício da edilidade a sua vez e hora, política tem dessas coisas. Para vereador, antes que eu me esqueça, doutor Augusto, o governador delega à sua pessoa discernir os nomes a apoiar, claro que será do seu desejo reeleger o seu filho Augusto Magalhães Júnior, ele sabe disso e até aplaude o seu amor paternal, no entanto ainda assim quer o nosso chefe maior que o senhor dê um jeito de também botar na vereança, com pelo menos o dobro de votos que repasse ao seu menino Júnior, o doutor Fernando Vita, por quem o que estima ou desestima com a mesma facilidade com que dorme e acorda, agora está a estimar muito, são essas as instruções que lhe trago, chamemo-las melhor de ordens, determinações, o senhor escolhe, tem o nobre amigo ainda alguma dúvida?, não, não as tenho, garantiu o prefeito, então se dúvidas já não há parto bem depressa, aqui só vim por custo desta única missão, passar bem, desculpe os incômodos, até mais ver!, então o coronel levantou-se com a imponência castrense de qualquer milico que domine as treitas de mandar em caserna ou fora dela, e ele não teria passado tanto tempo nas academias militares e não aprendido pelo menos esses fazeres deveras importantes e comezinhos — e um perfeito imbecil seria se não o fizesse! — recusou, com polidez, água, cafezinho, convite para o almoço e foi em frente, mas não tão em frente que pegasse de logo a estrada de volta à Cidade da Bahia, deu ainda um pulo ao armazém de beneficiamento de fumo onde o Inglês usa dar expediente, solicitou com rara polidez que se retirassem do escritório do gringo todos os circunstantes que lá se encontravam, lacrou a porta, nem deu a ousadia de sentar-se por mais que para isso fosse instado, curto e grosso disse: olhe aqui, seu Inglês, de ordem do senhor governador do estado da Bahia, eu, coronel Alexandre Mares, chefe da Casa Militar do Governo, determino-lhe que quando o senhor por acaso vir a ter qualquer nova ideia, boa ou má, utilizável ou descartável, não importa, faça a fineza de guardá-la para si mesmo, e se porventura não a quiser deixar reclusa da sua cabeça, dela tire-a, mas não a repasse a senhor ninguém, enfie-a bem no meio do seu cu, este o recado do doutor Antônio Carlos Magalhães, sem tirar nem pôr, espero ter sido claro, *yes, you do*! — murmurou pianinho o estrangeiro —, então agora me vou de partida, e saiu aquele coronelão taludo, em passos marciais, porta afora do armazém de beneficiamento de fumo, foi um salseiro imenso entre o mulherio obreiro da manoca, a curiosidade geral ainda foi maior, mas quem disse que o Inglês soltou um ai que fosse sobre o que teria provocado a ida do coronel Mares ao seu reduto? O prefeito Augusto, muito menos.

Nem mesmo comigo — cada dia mais encorpado em prestígio na figura do seu principal e direto auxiliar e ainda mais empavonado após ser o único membro do chamado estafe municipal a acompanhá-lo à Europa em histórica viagem internacional — cuidou o prefeito Augusto Magalhães Braga de alinhavar qualquer conversa que remontasse aos detalhes da missão ultrassecreta que levara o chefe da Casa Militar do governador Antônio Carlos Magalhães, coronel Alexandre Mares, a sair dos seus labores na Cidade da Bahia e a chegar assim tão de repente a Todavia e de lá mais de repente ainda pegar o caminho de volta, não, ele nada me falou de específico a respeito desse encontro, ficou nas generalidades dissuasivas de quem entoca mistérios em breus de tocas, apenas puxou-me disfarçadamente pelo braço esquerdo para que tivéssemos um bate-papo bem pessoal e fora do alcance dos ouvidos curiosos de senhor qualquer, valeu-se AMB para tanto de mais uma das reuniões mensais do assim chamado conselho de sábios de Todavia, onde o Inglês — e só o próprio Inglês sabe a razão — cada vez se mostra mais calado e desprovido de ideias, ele que sempre as teve — inovadoras, revolucionárias, vezes banais — às mancheias, chamou-me então noite desta de ilustrados provincianos agrupados em tertúlia o prefeito, apartados nós dois dos demais sábios, a um canto de varanda da Quitandinha, cada um de nós com o seu copo de uísque em uma mão e espetinho de churrasco misto na outra, como preliminar anunciou-me ser aquele nosso papo estritamente particular e em merecimento à máxima confiança que a mim ele dispensava, hoje, doutor Vita, asseguro-lhe que o tenho na conta de um verdadeiro filho, que não nos ouça o Augusto Júnior que, como os outros secretários da prefeitura, também já o espia meio de banda, com inveja da ousadia plena que lhe dou e olho-grande em seu prestígio, no serviço público as coisas se dão assim mesmo, releve, mas a verdade é que, concorde comigo, hoje talvez só mesmo a dona Assunção, por ser minha mulher e dividirmos a mesma cama, e a dona Taiai Marins, por cuidar das nossas informações institucionais saibam mais da minha vida que o senhor, de maneira que quero lhe passar umas coisas que andam a passear à deriva por minha cabeça, ouça, me escute, e se algum senão ou ponteio o senhor tenha a fazer à nossa prosa, por gentileza, deixe-os para o fim de tudo, que a noite mal está a começar, dispomos da eternidade para papear, como o senhor mesmo sabe, eu e o meu futuro compadre Antônio Carlos nos entendemos muito bem, seja por música ou por ouvido, como se usa dizer, de sorte que hoje, depois de tantos anos juntos nas lides da política, nem sempre precisamos de fala, ou de escrita, ou de gesto, ou de olhar, ou de conversa ou de que porra lá seja para descobrirmos o que um e outro estão a sentir, a querer, a aspirar, a desejar, é assim mesmo, doutor jornalista, é como se fôssemos sem o sentir autênticos cavalos, guias espirituais, um do outro, de sorte que, por

República dos Mentecaptos

exemplo, eu hoje sei que o nosso governador já tem a perfeita noção da grandeza, da enormidade, da riqueza e da complexidade que será transformar a Bahia em país e da parte de responsabilidade que me caberá, como pai, ainda que adotivo, da ideia, em pôr no papel toda essa engrenagem, é fato por demais claro para mim, constato que a cada hora mais terei que ir me afastando desse dia a dia repetitivo — que é o dia a dia de ser prefeito — para em vez disso sentar os quartos numa mesa de trabalho, caneta e papel à mão, para em solitário transformar pensamentos, sonhos, quimeras, aspirações, desejos, que nome se os dê, em caminhos, e não em atalhos, para os nossos objetivos serem alcançados a passos de quarto de milha marchador, o senhor deve estar a me entender, de maneira que quero o senhor me ajudando, passando a coordenar a gestão de Todavia para deixar-me com as mãos desatadas e a cabeça livre para esse novo trabalho braçal, tudo sempre de acordo com aquele princípio basilar de que o senhor pode fazer o que quiser, desde que não faça o que eu não quero que o senhor faça, essa é uma coisa, a outra é que desejo que o senhor fique ciente, em primeira mão, que o próximo prefeito de Todavia será a nossa primeira-dama, nem ela sabe disso ainda, mas a ela o destino reserva a prefeitura de Todavia, poderia vir a ser o futuro prefeito o meu filho Júnior, ou até mesmo o tabelião Ademar Jacinto de Queiroz, mas não, o Júnior não serve porque — já deu para o senhor sentir! — ele não tem muita coisa na cabeça, é um merda apalermado e acomodado, este meu filho, faço justiça à sua inteligência, doutor Vita, como a faço também à do Júnior ao afirmar tais verdades, a vereança para ele já basta e sobra, que jeito, é a vida, já quanto ao Ademar, ele ainda está muito verde, apesar dos vastos anos acumulados na política, para mandar, que ele está mais para ser mandado é a verdade,

Fernando Vîta

manda quem pode, obedece quem tem juízo, diz a sabedoria do povo, essa coisa de mandar, exercer poder, vem com a gente, não se transfere, então logo que eu fale à dona Assunção que a candidata a prefeita nas eleições que estão por vir será ela, cuidaremos dos aperreios necessários à busca do voto popular, que isso é o de menos, em Todavia, enquanto estivermos grudados que só irmãos xifópagos, por todo o sempre mandaremos na política, ACM e AMB, AMB e ACM, e tem mais outra coisa, comece a se paramentar, porque vou querer fazer do senhor, nas mesmas eleições, o vereador mais votado daqui. Eu, prefeito, Augusto?, indaguei. O senhor mesmo, seu Fernando, por enquanto apenas ouça, não me faça perguntas, aligeire-se, comece a despir-se um pouco da sua pose de bacana, passe a frequentar os botecos de ponta de rua e os folguedos da zona rural, dê bom-dia, boa-tarde e boa-noite a todo mundo — à exceção dos cavalos, que a estes só saúda quem conversa demais —, tapinhas de leve nas costas e beijos em velhinha e em criança eu nem preciso de lhe recomendar que dê, peça água de bica e cafezinho de chaleira em casa de pobres e remediados, o mais pode deixar comigo; quanto a dona Assunção, vou botar a nossa chefa do Serviço de Cerimonial, a dona Lourdinha Pereira, para dar-lhe um banho de loja, repaginá-la do dedinho mindinho do pé ao topo da cabeça, de jeito que ela pare de semelhar a uma reles dona de casa que só serve para fazer a feira da semana e rezar em missa e ganhe a aparência e a presença de futura autoridade mandatária, e seja o que Deus quiser, ganha a eleição como ganharemos, ela fica durante quatro anos no mando da Todavia município enquanto eu dou duro na escrita e nas artimanhas para que, findos esses quatro anos, mais quatro de tolerância, talvez outros quatro mais, quem sabe um outro quadriênio de espera, no máximo,

Mentecaptos

volte eu ao poder, aí, quem sabe, não mais como mero prefeito do município de Todavia, mas como governador do estado que terá o mesmo nome, Estado de Todavia da República Federativa da Bahia, esta mesma república da qual ACM chegará por mãos próprias à presidência, conforme a ideia do Inglês no passado, mas que já é mais que minha no presente, eis que quando eu tento repegar o leme da conversa para dizer que sim, que não ou que talvez chega até nós o dito Inglês, então AMB lhe indaga de supetão, e aí, como está o nosso mais ilustre e sabido sábio? "Como um sabiá, prefeito, como um sabiá, doutor Augustinho, na muda, sem nem piar quanto mais cantar…" Agora eu, ainda posto em silêncio, rouco de tanto ouvir é que piei comigo mesmo, passarinho de pouco voo a avoar em céu de gavião: a carta quase laudo médico do ilhéu doutor Fonseca ao governador ACM foi-lhe mais que bastante, tanto que nem preciso foi incomodar os amigos Rubim de Pinho e Norival Sampaio psiquiatras atrás de pareceres complementares sobre o juízo de Augusto de Magalhães Braga, mandou o que manda o coronel Mares a Todavia só para cantar o canto que o que manda cantar lhe mandou cantar para o prefeito. O alcaide ouviu o solo do coronel com muito apuro e fez do canto do que canta por último o seu próprio canto. Sem desafinar, como sempre sói acontecer com os que nem sempre têm a alma pura dos pássaros, embora deles ostentem a ossatura frágil na espinha dorsal.

FADO IV

Hospício, epílogo

"... Dizem os cronistas que ele morreu dali a dezessete meses, no mesmo estado em que entrou, sem ter podido alcançar nada. Alguns chegam ao ponto de conjeturar que nunca houve outro louco, além dele, em Itaguaí;...

Seja como for, efetuou-se o enterro com muita pompa e rara solenidade."

Machado de Assis,
em *O Alienista*

QUANDO O AUTOR SE APRESSA EM BUSCAR ACLARAR, COM A BREVIDADE POSSÍVEL E A CONCISÃO QUE NÃO LHE É ATRIBUTO, EVENTUAIS DÚVIDAS E IMPRECISÕES QUE PORVENTURA PODEM VIR A CONSPURCAR O MELHOR ENTENDIMENTO DO DESFECHO DESSE RELATO EM FAVOR OU DESFAVOR DE QUEM QUER QUE SEJA, INCLUSIVE DELE PRÓPRIO.

A VIDA É A ARTE DO POSSÍVEL. A QUANTAS NELA AGORA PERAMBULA O NARRADOR

Sempre os fados, eles, na régia do meu destino, se foram os fados que me fizeram voltar a Todavia mesmo tendo jurado por todos os santos — como se neles botasse alguma fé! — não mais lá pôr os pés, são os tais fados que hoje me prendem justamente em Todavia com tenazes diabólicos, os da política, tão diabólicos são os seus tenazes que nem de longe me passa pela cabeça pegar meus poucos panos de bunda (ainda que agora eles já não caibam naquela valise fuleira que trazia à mão quando aqui cheguei anos atrás; não, nem a valise é mais aquela tão fuleira da chegança, desde que tive de acompanhar o prefeito Augusto e a senhora primeira-dama Assunção em missão internacional fiz-me dono de outra, bem mais mala de grife que valise, nem os meus panos de bunda são tão poucos!) e embarcar no trem de ferro da hora, baldear para um vapor da Bahiana em São Roque do Paraguaçu e saltar no cais do porto da Cidade da Bahia, de onde tive que me escafeder — até parece que foi ontem! — com um cartão de recomendo o portador, o assim dito jornalista Fernando Vita, do governador Antônio Carlos Magalhães ao seu correligionário político, o

Fernando Vîta

prefeito Augusto Magalhães Braga, na mão o cartão supra e os bivaques da ditadura nos meus calcanhares, sabe você, leitor, como são ardilosas e traiçoeiras as armadilhas da política, ACM diz e AMB repete que ela, a política, só dispõe de uma porta, a de entrada, a de saída não há, tanto assim — e é mesmo *Cabeça Branca* quem o diz e *Três Letrinhas,* como se fosse o autor do dichote, reproduz como um ventríloquo de *vaudeville* ou um papagaio de poleiro — que no mais das vezes a política é que abandona o político e não o contrário, veja quantos desses homens ditos públicos correm à toa atrás dos votos, ainda que os votos, mais velozes, corram deles como o Diabo se pica da cruz, assim é que enquanto a ex-primeira--dama Assunção hoje é a prefeita Assunção e o ex-prefeito Augustinho entrega-se de corpo e alma à missão que lhe deu o governador de ser o formatador oficial e juramentado dos prolegômenos e da hermenêutica imprescindíveis à criação da República da Bahia eu, o vereador mais votado nas últimas eleições, além de ocupar a presidência da Câmara de Vereadores de Todavia, para desgosto do velho tabelião Ademar Jacinto de Queiroz (eis aí um caso típico de político de quem os votos minguaram, fugiram, não obrou se reeleger, como cria que se reelegeria, nem à suplência na vereança!) sou igualmente o prefeito-tampão quando dona Assunção, por qualquer motivo imperioso e indelegável, tem que voltar à Europa em novas — e imprescindíveis — missões internacionais, é quase pule de dez de certeza certa que o Fernando Vita aqui, filho pródigo à casa tornado, se Deus não mandar o contrário — Ele e ACM, não nessa ordem, necessariamente, faço questão absoluta de frisar! — será o futuro mandatário de Todavia, Todavia que é e será sempre a maior razão da minha vida (assim é que agora falo e repito em comícios, palestras, atos públicos, juramentos,

República dos Mentecaptos

velórios, reuniões do conselho de sábios, sessões na câmara e onde mais eu abra a minha boca em contrita oração!), desta forma a vida se dá, quem viu Naninha, dia desses ironizou ACM, em rápida passagem pelo entroncamento rodoviário de Todavia na direção da vizinha São Miguel das Matas sem nem ao menos vir à praça maior da nossa cidade para um protocolar cafezinho (dizem os nossos poucos oposicionistas locais que ele só assim o faz para não ter que batizar o Augusto Júnior, ainda pagão com mais de quarenta anos vividos!), já no que toca à epifania da República da Bahia, toda a volumosa papelada que sai da pena de Augustinho é devidamente envelopada por mim próprio, com o timbre de correspondência secreta e indevassável, que lacrada e carimbada é mandada à Cidade da Bahia para análise do doutor Cruz Santos, um velho sábio e ferino desembargador aposentado que recebeu do governador a missão de respondê-la direta e também secretamente a Augusto Braga, sempre impondo ao ex-prefeito o esclarecimento de novas grosas de dúvidas, montes de questionamentos, toneladas de questiúnculas, dúzias de premissas, caralhões de preliminares, porrilhões de embargos, agravos, interditos teratológicos ou exordiais, centenas de *datas venias*, de maneira que o velho correligionário de tantos anos outros muitos tantos mais ainda viva a laborar, como em moto-contínuo, em sua causa quixotesca, ACM faz-se de Sancho Pança, estimula-o sempre que pode a perseverar em seu desiderato, em seu norte basilar, em política não se deve nunca obliterar os sonhos nem aos amigos nem aos inimigos, deixe que o Augusto trabalhe em paz, dê-lhe todas as condições necessárias, recomenda-me sempre que me vê o governador, assim cumpre-me informar que nem mesmo Augusto Magalhães Braga vivendo mais que uma centena de anos, além dos setenta e tantos que os tem já bem vividos, dará cabo da empreitada a que se propõe, ela provavelmente será delegada, como missão política testamentária intransferível, em caso de seu passamento desta para uma melhor, ao filho Augusto Magalhães Braga Júnior, imagine que uma das últimas missões repassadas pelo ancião jurisconsulto Cruz Santos ao antigo alcaide de Todavia foi a de ler, de cabo a rabo, depois de já ter feito o mesmo com *Em Busca do Tempo Perdido*, de Marcel Proust, *A República*, de Platão, como forma de buscar nos primórdios da Grécia Antiga e na experiência de vida do caudaloso escritor francês mais fundamentos básicos para a construção da nossa outra república — tupiniquim-axé-dendê — ora em gestação, e que o velho desembargador Cruz, de tantos serviços prestados à Bahia e à política baiana, não venha a faltar antes de Augustinho, deixando padecer por carência do que quer que seja uma obra de invulgar ossatura histórica como essa — a República da Bahia — já que sem o concurso essencial de seus dotes sempre assaz louvados de arquiteto supremo da legalidade e dos direitos, todos eles, mais quimérica ainda ficará esta quimera.

DEUS AJUDA A QUEM CEDO MADRUGA

Augustinho senta a bunda na cadeira de respaldar alto, em gabinete especialmente montado pela comuna na chácara Quitandinha onde mora, ventilador de teto a girar como se fosse um helicóptero de cabeça para baixo a aliviar-lhe os cornos e a carapinha do calor de mil infernos que em Todavia faz o ano todo, da hora que acorda no madrugar dos dias até a hora em que, extenuado de tanto escrever relatórios,

República dos Mentecaptos

protocolos, acórdãos, esboços de compromisso, termos de ajustes de conduta, memorandos, projetos de constituição e que tais em intermináveis cadernos de papel pautado, na demanda de pôr de pé a sua ideia transformadora monumental, vai dormir com os galos a cantar alvoradas, admira-me por demais a inexcedível obsessão patriótica com que o velho político persegue o seu projeto republicano, ninguém lhe incomoda, ninguém lhe perturba a paz criadora em seu labirinto de vero general de batalhas eternas — valei-me mais uma vez São Gabriel García Márquez! —, pouco sai às ruas, os sábios do conselho de Todavia quase nunca o têm presente como antes em suas tertúlias mensais, eu o vejo todos os fins de tarde, com ele beberico um drinque ou outro, quando lhe pergunto às quantas anda a nossa República em gestação ele responde que está indo, amadurecendo, saindo dos guardados da sua memória, invariavelmente me repassa um calhamaço de papel escrito para eu cuidar de mandar Aureliano das Angélicas fazer a entrega, em envelopes massudos, ao desembargador Cruz Santos, e que Deus dê a ambos uma eternidade de vida. Informo, por cabível, que algumas vezes flagro AMB a falar sozinho e a peidar alto, como também, por dever de ofício, deixo consignado que nada me garante que a confidencialidade dessa gigantesca correspondência que ele troca com o macróbio magistrado da Cidade da Bahia está a ser preservada, vá confiar em Aureliano das Angélicas como portador...

DONA ASSUNÇÃO É A SALVAÇÃO

Com este *slogan* — da minha lavra e autoria e que fizemos reproduzir como tilápias em cativeiro por onde muros ou

Fernando Vîta

paredes de pé existissem — a primeira-dama ganhou as eleições em Todavia, sucedeu ao marido Augusto, substitui-lhe — ele sempre atarefado em sua faina republicana! — sobremodo na criação do Augusto Júnior, que apesar dos idos anos em idade, ainda dá muito trabalho aos pais, só vive em puteiros, bebe que só um camelo sedento, inservível absoluto, cabeça de vento além de pagão perante Deus. Mas a quem a prefeita salva mesmo a cada minuto é a mim, já tido como o seu provável sucessor na prefeitura, onde ela nada faz sem me pedir arreglos ou opiniões, não tenho do que me queixar quanto a isso, muito pelo contrário, só me robustece o poder pessoal e a vontade de ter-lhes sempre mais às mãos, o poder e a toda poderosa dona Assunção de agora, sobre os demais auxiliares — começando pelo sargento Bezerra, oficial maçaneta que lhe abre as portas do Opala preto de chapa branca ao seu Serapião, que permanece como um buda nagô de plantão a lhe auscultar e repassar aos chegantes os humores diários, o Governo hoje está assim ou assado; da dona Hilda Pimenta, secretária de fé e medianeira ao tenente-coronel da reserva Elson Mercês, da Casa Militar, sempre disponível a dar tratos a qualquer missão, por mais heterodoxa que ela seja; do douto bacharel Carlos Aurino, da Casa Civil, a dona Lourdinha Pereira, do Cerimonial — todos eles permanecem a postos em suas trincheiras de trabalho, Todavia muito lhes deve, sempre, os Magalhães Braga ainda muito mais, leais, fiéis, cúmplices e solidários serviçais, não olvido por inconcebível fazê-lo a chefa do Serviço de Informações Institucionais, a dona Taiai Marins, esta que se reporta diretamente a mim, seja em público ou em privado, também acho que ser bem informado, em política ou fora dela, é fundamental, não carecendo de importância a importância da informação, seja ela institucional ou não, dona Taiai maneja bem com as duas, assim, a cada dia mais sei de tudo e de todos, como ACM, como AMB.

República dos Mentecaptos

O MUNDO SÓ NÃO SERVE PARA QUEM NÃO SABE ESPERAR

E eu, modéstia à parte, até que tenho sabido, veja memorável leitor quantas adversidades e procelas eu tenho suplantado até chegar aqui às páginas tantas dessa trama, ora aperreia-me você com cobranças de vieses mal pespegados à narrativa romanesca desse quase romance, outras me fogem lembranças essenciais que não poderiam nem deveriam me fugir, outras tantas me sai do sossego em ilha do Atlântico da Bahia um médico José Antônio Fonseca, ele mesmo um meio amalucado confesso, a vir-me falar de malucos outros, sim, são muitos os últimos desafios, foram eles muitos mais nas páginas já escritas, já que agora o meu incansável editor Willian Novaes, de posse do último capítulo que lhe enviei, exara parecer na direção de que a Geração Editorial — fê-lo o WN aos seus chefes, os donos Emediatos da Geração, Fernando e Fernanda — deverá publicar este *República dos Mentecaptos* e dar-me mais uma oportunidade de tornar-me, já ou em futuro próximo, o escritor de sucesso inominável que sempre pensei ser sem nunca, na verdade, ter sido com os meus livros anteriores, não sei se a bonomia do confiante Willian decorre da sua real crença de que o novo livro de agora tem futuro promissor quando posto nas gôndolas das livrarias todas do Brasil ou se ele está mesmo a fim de consorciar-se comigo em desfrute das chamadas trepadeiras encubadas de Todavia, logo que eu, finalmente, as desencube, não sei bem se é isso ou se mesmo o apoio ao projeto de editar este *República dos Mentecaptos* veio do fato de eu, agora autoridade municipal em Todavia, ter adquirido a preço vil boa parte do encalhe restante de exemplares das minhas ditas obras anteriores — *Tirem a Doidinha da Sala que Vai Começar a Novela, Cartas Anônimas* e *O Avião de Noé* —, retumbantes e consagrados fracassos de crítica e vendas, e as ter literalmente lançadas ao público aqui na comuna, o fiz durante a última campanha política, a partir dos palanques de comícios, atirava os exemplares aos ares como se participássemos de uma *galinha-gorda* literária em praça pública, quem agarrasse um ou mais exemplares dos meus livros, dono deles seria, ainda assim, no meio dos tantos analfabetos e semialfabetizados que aqui abundam, muitos dos que os agarraram no ar, no chão da praça mesmo os abandonaram, dura é a vida de quem escreve livros, mais ainda a de quem tem que dar vazão aos sonhos de sucesso de quem os escreve, todo estreante já se dá por imortal, nenhum sequer imagina-se um futuro involuntário colador de letrinhas alfabéticas em minúsculos confetes de papel. E antes mesmo que o Willian Novaes editor ou mesmo o meu percuciente, denodado e curioso leitor — agregando este às minhas pobres manhas literárias (ai quem me dera!) diabólicas artes de um Ingmar Bergman em tornar os finais de seus filmes, peças de teatro e livros prenhes de mistério, anchos de interrogações — me cobrem nestas páginas quem são e por onde andam as misteriosas trepadeiras encubadas de Todavia, vez que ambos as desejam compartilhar comigo em bacanais prometidos, a elas logo chego, valeu a pena esperar, espero eu.

O ESPETÁCULO NÃO PODE PARAR

Esclareço que são quíntuplas, as trepadeiras encubadas de Todavia, quatro delas univitelinas, nasceram das mesmas placentas, têm, portanto, quase a mesma cara, fosse eu pilheriar como aqui se pilheria amiúde diria que a cara de uma é o cu da outra, mas

Mentecaptos

uma delas não, é diferente pouca coisa das demais, pena que não nascessem sêxtuplas de tão bonitas que todas são, de tão iguais até menstruar menstruam em períodos semelhantes, moças já feitas hoje passeiam formosura e destreza artística por um circo de nome *Pavilhão de Rádio Teatro do José Bezerra*, que corre o Brasil do Oiapoque ao Chuí e do Chuí ao Oiapoque, foi o dito José Bezerra do circo que as adotou e as levou logo que paridas aqui em Todavia por uma lavadeira de ganho de nome Boneca da Mombaça, emprenhada por um vaqueiro de rodeio de apelido *Saracura do Coité*, deu-se que o tal *Saracura* uma vez ciente da desgraceira que fora para a sua vida foder e embarrigar Boneca ante a responsabilidade que se lhe impunha ser o pai de cinco bonequinhas, a criar na mais absoluta indigência, achou por bem, contra a vontade da Boneca mãe, ceder as criaturinhas já desmamadas, a troco de uns tantos mil-réis, ao dono daquele mafuá mais mesmo que circo de fama, desde que de imediato elas fossem batizadas em Cristo, e elas o foram ainda aqui em Todavia, na matriz em honra a nossa padroeira, Santa Rita dos Impossíveis, Eliete, Bernadete, Iolete, Ivonete e Maridete são os seus prenomes de pia, em ordem de chegada ao mundo, Maridete é a caçula e a de cara pouquinha coisa diferente das demais irmãs, não que não seja tão bela quanto são as outras, sabe-se agora que o José Bezerra do *Pavilhão* sempre as criou com muito apuro, nada nunca lhes deixou faltar, nem mesmo a alfabetização parca em cada parada da trupe onde quer que o estabelecimento circense levantasse as lonas e escola houvesse, e elas foram virando moças depois de meninas, muito embora desde os cinco de idade já fossem atração de relevo na companhia, sempre havia algum número em que empregá-las como segundas ou terceiras no palco, as cinco juntas ou apartadas, ora em performances com palhaços, outras com um turco chamado de Zorro que atirava facas e manipulava o chicote com muita competência, tantas outras em estripulias em trapézio com rede ou arame estendido para equilibristas e malabares, assim o tempo passou até que chegasse ao *Pavilhão de Rádio Teatro do José Bezerra* uma nova atração, um outro José, este tido com o nome artístico de *Zé do Cocão*, o que cospe fogo como um dragão, viera com o prestígio de quem tinha trabalhado no célebre *Circo Nerino*, daí que as quíntuplas já então consagradas *As Irmãs Etes* — deste jeito eram sempre anunciadas pelo dono do circo, sons abafados da orquestra da casa como pano de fundo, quando na função de rumbeiras, barrigas saradas, pernas torneadas e outras belezas de deusas minimamente ocultas por poucos tacos de tecido em lamê dourado, levavam a plateia ao delírio — lhe foram cedidas em comodato para abrilhantar os seus números, que eram muitos e variegados, porque *Zé do Cocão* não só cuspia fogo como um dragão como também, bonito, galante e vistoso que era, cantava boleros e rumbas, salsas latinas e tangos, fados e árias de ópera, representava bardos em operetas e pilotava motocicletas no globo da morte, de sorte que vai daqui, vai dali, com tanto talento para as artes circenses, foi o Zé que tal passando uma a uma as gêmeas em pica, não se sabe se de uma em uma, de duas em duas, de três em três, de quatro em quatro ou se por medida de economia processual as descabaçou em uma única manada de cinco, isto não se sabe ao certo, o certo que se sabe é que as cinco moças bonitas, se devem a *Zé do Cocão* a parceria artística e os cabaços, não lhe devem, entretanto, fidelidade de cama além da do palco, assim sempre que o circo senta a praça em alguma cidade, e em havendo os tais e muitos usuais, mesmo em circos os mais mambembes, dias de folga da companhia, põem-se elas em conjunto a praticar as artes da putaria em

República dos Mentecaptos

disputadas surubas, as cinco agregadas em perfeita união em favor de endinheirados da região, em igual número ou não, fica ao gosto do freguês estabelecer a dosimetria da esbórnia, em Formosa do Rio Preto mesmo apareceu um alto proprietário de terras que as remunerou muito bem para desfrutá-las todas sozinho, o guloso, em solitário e de forma egoísta, durante todo um dia e parte da noite, pense, caríssimo e persistente leitor, imagine, preclaro e tolerante editor, que trepação maravilhosa não foi essa, cabe sempre a Maridete, a caçulinha das *Irmãs Etes*, os acertos de preço e das condições logísticas exigidas para as empreitadas, dito o que e esclarecido o tanto, fico agora muito a par — a dona Taiai das Informações Institucionais, se já não me mentia antes, agora é que, sabendo-me o prefeito do futuro, não haveria de me mentir — de que o ex-prefeito Augusto Magalhães Braga, o Inglês e outros seis ou sete dos sábios do nosso conselho andaram orquestrando um panavuê dessa magnitude com as quíntuplas trepadeiras encubadas de Todavia justo quando de uma passagem do *Pavilhão de Rádio Teatro do José Bezerra* por Gandu, que não fica tão distante daqui, consta que foi uma folgança das boas e que melhor ainda ela ficou porque coube ao erário municipal custear, em favor dos sabidos, sem pechinchar no preço, todas as despesas apresentadas pelas meninas, tudo incluído no pacote, os *pró-labores* quíntuplos delas próprias, os custeios das coisas de beber e comer — estrito senso — do momentoso evento, dona Taiai Marins deu-me os pormenores, e desse jeito encerro essas linhas finais não sem antes assegurar-lhe, leitor, garantir-lhe editor WN, que a prebenda que lhes prometi — ao leitor por ter-se mantido fiel e persistente na leitura até aqui; ao editor por obrar fazer pública, sob forma de livro, mais essa minha fabulação fadada aos cupins, aos ácaros e às traças dos sebos

Fernando Vîta

de esquina ou às fábricas de confetes — está devidamente assegurada, dona Lourdinha Pereira do Cerimonial já deu início às tratativas todas, sou um bom político e o bom político cumpre o que promete, esta lição quanto tantas outras as aprendi com os meus mestres, os dois juntos em forma de sigla não passam das seis letras, mas que valem mais que um alfabeto valem, rendem até trama romanesca.

FIM

Que me resta a mim para inventar? Que pós milagrosos, que água salutar? Alguma coisa tenho que descobrir. Entretanto, vou escrevendo livros, na esperança de serem como o bálsamo homogêneo ou o elixir antifleumático; de serem imortais como os soldados de Xerxes não foram.

Agustina Bessa-Luís, em *Breviário do Brasil*

* * *

Cortona, região da Toscana, Província de Arezzo, Itália, Primavera de 2017.
Cidade do Salvador da Bahia, Outono de 2018.

LEIA TAMBÉM
DO MESMO AUTOR

AVIÃO DE NOÉ

Em "Todavia", cidade do interior baiano, tudo pode acontecer......e acontece. Nos anos 1950, começando com uma explosão durante uma missa em louvor à Santa Rita dos Impossíveis. Uma fábrica de fogos pega fogo, mas todos acham que o barulho é devido às comemorações pela vitória do Brasil contra a seleção sueca. O responsável: o porco de um enfermeiro. Um inventor improvisado acredita que, com os restos de sucatas que vai encontrando, poderá construir um helicóptero, o "Águia de Todavia", e até marca o dia para seu lançamento. A geringonça voará? Este e muitos outros relatos desfilam numa sucessão de acontecimentos vertiginosos na cidadezinha imaginária baiana criada pelo jornalista e romancista Fernando Vita, que compõe um mosaico debochado, escatológico e cheio de aventuras populares com tipos folclóricos neste seu segundo livro, depois de "Cartas anônimas".

LEIA TAMBÉM
DO MESMO AUTOR

CARTAS ANÔNIMAS
Uma hilariante história de intrigas,
paixão e morte

Em uma pequena e desimportante cidade chamada Todavia, o único diferencial de seu povo é o fato de os seus moradores passarem o tempo enviando cartas anônimas picantes, cheias de intriga, uns para os outros. A história começa a pegar fogo quando um todaviano que se autodenomina O Sedutor se apropria de um poema de Olavo Bilac para conquistar uma bela viúva cobiçada por todos. Nas cartas, encontramos o passado, o presente e o mais íntimo dos moradores de Todavia com pitadas de humor, virulência e maldade. Um livro divertidíssimo escrito com fina qualidade literária.

INFORMAÇÕES SOBRE A
GERAÇÃO EDITORIAL

Para saber mais sobre os títulos e autores
da **GERAÇÃO EDITORIAL**,
visite o *site* www.geracaoeditorial.com.br
e curta as nossas redes sociais.

Além de informações sobre os próximos lançamentos,
você terá acesso a conteúdos exclusivos
e poderá participar de promoções e sorteios.

- geracaoeditorial.com.br
- /geracaoeditorial
- @geracaobooks
- @geracaoeditorial

Se quiser receber informações por *e-mail*,
basta se cadastrar diretamente no nosso *site*
ou enviar uma mensagem para
imprensa@geracaoeditorial.com.br

GERAÇÃO EDITORIAL

Rua João Pereira, 81 – Lapa
CEP: 05074-070 – São Paulo – SP
Telefone: (+ 55 11) 3256-4444
E-mail: geracaoeditorial@geracaoeditorial.com.br